古典·哲学时代

公孙龙子研究

王献唐 / 著　马东峰 / 主编

北京理工大学出版社
BEIJING INSTITUTE OF TECHNOLOGY PRESS

《公孙龙子悬解》自序

公孙龙书，与儒、道殊指。并世庄、荀，已相排笮。汉初尚黄、老，格而弗宣。武帝表章《六经》，学术一尊，益在摈挤之列。学者承流，断断弗已。魏晋之间，始稍稍振矣，然终不畅。自唐迄宋，注释数家，其书多佚，莫觏厥指。今流传之谢希深注，谓为未窥窔奥可也。清代子学勃兴，治此者尠。輓季俞荫甫、孙仲容两家始刊挩误，多所諟正。近人胡适之益以新知，撢简其谊。梁任公、章行严摘发异同，间获新解。千载榛莽，乃渐通涂径焉。嗟乎！ 以公孙氏之骀荡幼眇，蒙世诟病，遗简残编，旁皇异代，既摈于道，复弃于儒，微言大义，閟之数千百年仅乃得出，学统之箝人，固若斯其极耶！

余承诸君子绪余，取原书董理之，仍以群说纷投，意或未安，片鳞只爪，莫竟全功。乃 一一为之疏解，其是者因之，非者正之，整纷剔蠹，析疑宣蕴，冥思探讨，创解尤多，私心所企。但如公孙论旨之真，而不敢出入。然此岂易言者！诸君子杀青之初，未必不同此念。偶有弗照，旋踵立觉。以余学植，安敢望诸君子，引镜自鉴，纰缪且将倍蓰；是不待他人痛绳之后，已欿然于心矣。惟书草创于去夏之交，兀兀寒暑，躬自校录，今一年矣。其间风云数变，海内鞅掌，假名而乱实者，且比比是。执此大象，用照时晦，有待公孙之正吾名而端吾的者，昭然若提撕而告语也。意作论者重有忧患之思乎？远睹千万祀后，必有抢攘胶漆如今日者，爬而梳之，使通其趣。呜呼！果由此而本书之谊得显，药时疢于万一，则所以报公孙造论之微意也夫。

十四年六月，日照王琯

目　录

公孙龙子事辑

《庄子·徐无鬼》篇谓惠施曰："儒、墨、杨、秉四，与夫子为五。"秉，即公孙龙也。当时儒、墨宗风，振靡天下，公孙掉臂其间，造成对峙之局，其学术价值概可臆见。司马迁《史记》捃采极博，于此一代大师不为立传，非有所疏漏也。其《孟、荀列传》曰："赵有公孙龙为坚白同异之辩，剧子之言；魏有李悝，尽地力之教；楚有尸子、长卢，阿之吁子焉。自如孟子至于吁子，世多有其书，故不论其传云。"是史公之意，以公孙著述流传已久，诵书知人，固无劳别传也。世代绵远，旧闻散佚，今所著书已讹阙不完，综厥生平，率难征讨。但就群籍记载，知其曾劝燕昭王偃兵，有"大王欲攻齐，卒破齐以为功"数语，可证陈谏之时，已在破齐之后。按：胡适之《中国哲学史大纲》，以谏燕昭王在破齐以前，似为未审。其破齐为昭王二十八年，即周赧王三十一年，距昭王殁时只有五年，当在此五年间也。又尝客平原君家。邯郸存赵之役，曾进规言。时为赵孝成王九年，即周赧王五十八年。今考赧王在位共为五十九年，公孙所处时代当与略相终始；其前后长短年寿及生卒岁纪，均不可致矣。大抵姬嬴名硕，若老、墨、孟、荀、杨诸子出处之际，故书雅记率多不备，更非独公孙然也。谨甄讨典册，其叙及公孙言行者，略师理初俞氏之传易安、仲容孙氏之传墨子，彙其先后，为《事辑》一首，藉裨史迁之阙，而资学者以借镜。同时他宗论述有关实录者，虽属讦辞，亦间附及；学术辩难，固勿庸讳避也。

公孙龙，字子秉，《庄子·徐无鬼》篇、《列子释文》。赵人。《列子·仲尼》篇、《史记·孟子荀卿列传》《庄子·秋水》篇司马彪注。祖述辩经，以正别名显于世。鲁胜《墨辩注叙》。按："别名"一作"刑名"，非是。章行严《名、墨訾应论》：别者别墨（见《庄子·天下》篇），正者正墨。龙与他家辩争，必自谓正墨，而以别墨归之他家。他家与辩亦尔。其说甚审，可参看。疾名实之散乱，因资材之所长，假物取譬，为守白之论。本书《跡府》篇。

尝度关。刘向《别录》《初学记》卷七引。关司禁曰："马不得过。"龙曰："我马白，非马。"遂过。桓谭《新论》、罗振三《古籍丛残》唐写本古类书第一种白马注。

适燕，说昭王以偃兵。昭王曰："甚善，寡人愿与客计之。"龙曰："窃意大王之弗为也。"王曰："何故？"曰："日者大王欲破齐，诸天下之士，其欲破齐者，大王尽养之；知齐之险阻要塞君臣之际者，大王尽养之；虽知而弗欲破者，大王犹若弗养。其卒果破齐以为功。今大王曰：

‘我甚取偃兵。’诸侯之士在大王之本朝者，尽善用兵者也，臣是以知大王之弗为也。”王无以应。《吕氏春秋·审应览》七。

适赵，与其徒毛公、綦毋子等游平原君赵胜家。《别录》《史记·平原君、虞卿列传·集解》引、《汉书·艺文志》注。虞卿欲以信陵君之存邯郸为平原君请封。龙闻之，夜驾见平原君曰：“龙闻虞卿欲以信陵君之存邯郸为君请封，有之乎？”平原君曰“然。”龙曰：“此甚不可。且王举君而相赵者，非以君之智能为赵国无有也。割东武城为君封者，非以君为有功也，而以国人无勋，乃以君为亲戚故也。君受相印不辞无能、割地不言无功者，亦自以为亲戚故也。今信陵君存邯郸而请封，是亲戚受城而国人计功也。此甚不可。且虞卿操其两权，事成，操右券以责；事不成，以虚名德君。君必勿听也。”平原君遂不听虞卿，厚待龙。《史记·平原君列传》《国策》亦载此节，辞旨略异。

空雒据毕秋帆校本改。之遇，秦、赵相与约曰：“自今以来，秦之所欲为，赵助之；赵之所欲为，秦助之。”居无几何，秦兴兵攻魏，赵欲救之。秦王不悦，使人让赵王曰：“约曰：‘秦之所欲为，赵助之；赵之所欲为，秦助之。’今秦欲攻魏，而赵因欲救之，此非约也。”赵王以告平原君，平原君以告龙。龙曰：“亦可以发使而让秦王曰：‘赵欲救之，今秦王独不助赵，此非约也。”《吕氏春秋·审应览》五。

赵惠王谓龙曰：“寡人事偃兵十余年矣，而不成；兵不可偃乎？”对曰：“偃兵之意，兼爱天下之心也。兼爱天下，不可以虚名为也，必有其实。今蔺、离石入秦，而王缟素布总；东攻齐得城，而王加膳置酒。秦得地，而王布总；齐亡地而王加膳；此非据毕校本改。兼爱之心也，此偃兵之所以不成也。今有人于此，无礼漫易而求敬，阿党不公而求令，烦号数变而求静，暴戾贪得而求定，虽黄帝犹若困。”《吕氏春秋·审应览》一。

尝与孔穿会平原君家。穿曰：“素闻先生高谊，愿为弟子久，但不取先生以白马为非马耳。请去此术，则穿请为弟子。”龙曰：”先生之言悖。龙之所以为名者，乃以白马之论尔；今使龙去之，则无以教焉。且欲师之者，以智与学不如也。今使龙去之，此先教而后师之也；先教而后师之者，悖。且白马非马，乃仲尼之所取。龙闻楚王张繁弱之弓，载忘归之矢，以射蛟兕于云梦之圃，而丧其弓。左右请求之。王曰：“止。楚王遗弓，楚人得之，又何求乎？”仲尼闻之曰：“楚王仁义而未遂也。亦曰‘人亡弓，人得之’而已，何必楚？”若此，仲尼异楚人于所谓人。夫是仲尼异楚人于所谓人，而非龙异白马于所谓马，悖。先王修儒术，而非仲尼之所取；欲学，而使龙去所教，则虽百龙，固不能当前矣。”孔穿无以应焉。本书《跡府》篇。原文下，尚有龙、穿论齐王好士一段，意旨相同，从略。

又尝深辩至于藏三牙。“藏三牙”，《孔丛子》作“藏三耳”。应校为“臧三耳”。毕秋帆曰：“臧、羬古字通用，羊也。此作藏，尤误。”“耳”，谢昆城云：“篆文近牙，传写致误。”其说甚确，今仍《吕览》原文。龙言藏之三牙甚辩。孔穿不应。少选，辞而出。明日，孔穿朝。平原君谓孔穿曰：“昔者公孙龙之言甚辩。”孔穿曰：“然。几能令藏三牙矣。虽然，难。愿得有问于君：谓藏三牙甚难，而实非也；谓藏两牙甚易，而实是也；不知君将从易而是者乎？据毕校改。将从难而非者乎？”平原君不应。明日谓龙曰：“公无与孔穿辩。”《吕氏春秋览》五。按：上述孔穿与龙论辩诸端，《孔丛子》均载其文，伸穿绌龙，词旨与此微异。《孔丛》伪书，出于汉晋之间。清《四库书目》以为孔氏子孙所作，自必欲伸其祖说。今按原书《公孙龙》篇，谓龙好刑名，以白马为非白马。其“刑名”“非白马”二辞，已失公孙立说真谛。又孔穿与平原君论白马一义，引《春秋》“六鹢退飞”之说，亦似汉晋说经者伪造。原书既多失实，兹皆从略焉。

邹衍适赵，《史记·孟子荀卿列传》。过平原君，见龙及綦毋子等，论白马非马之辩，以问邹子。邹子曰：“不可。彼天下之辩有五胜三至，而辞正为下。辩者，别殊类使不相害，序异端使不相乱，抒音通指，明其所谓，使人与知焉，不务相迷也。故胜者不失其所守，不胜者得其所求。若是，故辩可为也。及至烦文以相假，饰辞以相惇，巧譬以相移，引人声使不得及其意。如此，害大道。夫缴纷争言而竞后息，不能无害君子。”坐皆称善。《别录》《史记·平原君虞卿列传·集解》引。

中山公子牟者，魏国之贤公子也。好与贤人游，悦公孙龙。乐正子舆之徒笑之。公子牟曰：“子何笑牟之悦公孙龙也？”子舆曰：“公孙龙之为人，行无师，学无友，佞给而不中，漫衍而无家，好怪而妄言。欲惑人之心、屈人之口，与韩檀等肄之。”公子牟变容曰：“何子状公孙龙之过欤？请问其实。”子舆曰：“吾笑龙之诒孔穿：言‘善射者能令后镞中前括，发发相及，矢矢相属；前矢造准而无绝落，后矢之括犹衔弦，视之若一焉’。孔穿骇之。龙曰：‘此未其妙者。逢蒙之弟子曰鸿超，怒其妻而怖之。引乌号之弓，綦卫之箭，射其目。矢来注眸子而眶不睫，矢坠地而尘不扬。’是岂智者之言欤？”公子牟曰：“智者之言，固非愚者之所晓。后镞中前括，钧后于前。矢注眸子而眶不睫，尽矢之势。子何疑焉？”乐正子舆曰：“子，龙之徒，焉得不饰其阙？吾又言其尤者。龙诳魏王曰：‘有意不心。有指不至。有物不尽。有影不移。发引千钧。白马非马。孤犊未尝有母。’其负类反伦，不可胜言也。”公子牟曰：“子不谕至言而以为尤也，尤其在子矣。夫无意则心同。无指则皆至。尽物者常有。影不移者，说在改也。发引千钧，势至等也。白马非马，形名离也。孤犊未尝有母，非孤犊也。”乐正子舆曰：“子以公孙龙之鸣皆条也。设令发于余窍，子亦将承之。”公子牟默然良久，告退，曰：“请待余日，更谒子论。”《列子·仲尼》篇。

尝与辩者桓团之徒恒团，按即前文韩檀，见《列子·仲尼》篇。张湛注：音相转也。以二十一事相訾应。《庄子·天下》篇。著书十四篇，名《公孙龙子》。《汉书·艺文志》。持论雄赡，读之初觉诡异，而实不诡异也。清《四库全书总目提要》。

读《公孙龙子》叙录

清姚际恒《古今伪书考》以本书《汉志》所载，《隋志》无之，定为后人伪作。其言似是实非，最当审辩。按:《汉志》"公孙龙子"十四篇，今存六篇。扬子《法言》称龙诡辞数万，似当时完本，为字甚富。《三国志·邓艾传》注引荀绰《冀州记》，谓爰俞辩于论义，采公孙龙之辞，以谈微理。晋张湛《列子注》亦引原书《白马论》，见《仲尼》篇。称此论现存云云。刘孝标《广绝交论》曰"纵碧鸡之雄辩"，"碧鸡"一义，即出本书，可证魏梁之间原著犹存。隋唐《经籍志》无《公孙龙子》书名，但载《守白论》一卷。据汪馥炎君《坚白盈离辩》，见《东方杂志》。谓"今本《公孙龙子》原名《守白论》，至唐人作注，始改今名"。不知《隋志》之《守白论》是否即汪君所指者；若为公孙原著，是《隋志》固有其书，当时并未散佚也。按：本书《跡府》篇，称公孙龙疾名实散乱，为守白之论。汪君"守白论"一词当或本是。但以为本书原名，未详所据。但鄙意对此仍含有下列疑问：

（一）《隋志》“守白论”不载作者姓名，是否公孙所著，或为他人述作而书名偶同，均不可考。

（二）公孙原本名家，《隋志》“守白论”列在道家。名、道两宗，根本抵触；绳以原书论旨，亦无搅入道家余地。据此，或《守白论》另为其他之道者所著，亦未可定。

（三）汪君称《公孙龙子》原名《守白论》，唐人作注，始改今名。考之《汉书·艺文志》，固明载《公孙龙子》十四篇，何言唐人始改？且考汉唐诸志及郑樵所录统为《公孙龙子》，并无《守白论》一名，均似可疑。

总之，《隋志》“守白论”，现既无相当证据定为公孙原著，最少亦当付诸疑似之列，不能谓《隋志》绝无其书也。迨石晋刘昫等纂修《旧唐书》，始明载《公孙龙子》三卷，并贾大隐、陈嗣古注各一卷。贾为武后时人，本书既经释注，当为此书存在之确据。杨倞注《荀子》，其《正名》一篇亦引《坚白论》证之。汪容甫定杨为唐武宗时人，盖是时已通行于世矣。《宋史·艺文志》载《公孙龙子》一卷，郑樵《通志》亦载一卷，亡八篇，是本书完本至宋始残。兹就上述沿革归纳为下列数义：

（一）由周至梁，本书完存无缺。

（二）隋唐之际，本书佚存未定。

（三）唐武后时，重见著录，仍为完本。

（四）宋绍兴前，亡八篇，剩六篇，为今本。按：本书谢希深序，称“今阅所著六篇”。谢为英宗时人，是此八篇在英宗之时已经失去。但谢序真伪未定（参看下条），暂仍郑《志》，定如上文。

综上四项，本书前后嬗变之迹昭然可见。世乱兵燹，典册播荡，即有晦显之遭，宁为真伪之界，姚说至此，可不攻自破矣。按：近人李笠对姚说曾为驳论曰：“古书有晦于前代，而现于后人者，即如敦煌石室书，岂宋明人所及见耶？私家秘籍偶然发见，亦不能概以伪书屏之也。即如《内经太素》，载于《隋志》而不见于后来书目，袁昶偶然获于异域，岂可言其作伪哉？古代典籍聚于公家，史臣亦只就官有者而著录之；其散入民间者，未必如近代之穷搜博访也，故往往晦于一时耳。”其说亦允，见所著《国学用书撰要》。

贾大隐、陈嗣古注，亦见郑樵《通志》，今俱不存。明钟伯敬重刊此书，改名《辩言》，不经已极。计明清两代校印本书者：有《道藏》本、梁杰本、冯梦桢本、杨一清本、明嘉靖刻《五子全书》本、明《子彙》本、明吉藩刻《二十家子书》本、绵眇阁本、《墨海金壶》本、守山阁本、即《金壶》旧版。崇文书局《百子全书》本、扫叶山房有覆印本。至注释家，俞荫甫《俞楼杂纂》有《读公孙龙子》三十三条，孙诒让《札迻》有六条。现通行本为谢希深注。按：希深名绛，宋富阳人。父涛，有父行，进士起家，累官至太子宾客。绛举进士甲科，为兵部员外郎。修洁醖藉，以文学知名。尝历州县，所至大兴学舍。有文集五十卷。明郑环《井观琐言》称“欧有尹师鲁谢绛”，梅圣俞《宛陵集》亦时载与唱酬诸诗，盖欧公门下士也。细绎所注《公孙龙子》，多未征信，兹分疏疑蕴于下：

（一）谢注于原文旨趋，意颇推挹，并无贬辞；而《自序》一篇反诋为虚诞，前后矛盾，不无间隙。

（二）谢注此书，应见《宋志》，竟未列入；而关于谢氏之记载，亦只有文集若干卷，未详此注，均涉可疑。

（三）谢序署名，称“宋谢希深序”。自序而标以宋人，前代典籍乏此先例。绎此五字，似为后人代添序尾。原文是否希深所作，因成疑问。

就上数证，疑注者、序者共为两人。而注中文字亦恐不出希深之手。或为贾、陈原著经其剥夺，或由后人托名，均未可详。要之古代典籍真伪杂出，赝注冒序亦所时有。如郭象注《庄》、刘向序《列》，或出剽窃，或为伪托。马叙伦《列子伪书考》。又如《鬼谷》一注假名弘景。周广业《鬼谷子陶弘景注序》。成例甚多，不烦枚举。谢注真赝，必有能辩之者。公孙学说，除所著书，散见于周秦诸子者，尚有《庄子·天下》篇之二十一事、《列子·仲尼》篇之七事。《天下》篇所述，虽非公孙专创，最少公孙亦为倡论者之一人。原书有云："辩者以此与惠施相应，终身无穷。桓团、公孙龙辩者之徒，饰人之心，易人之意……辩者之囿也。"是以二十一事为辩者与惠施驳论所资，而入桓团、公孙龙于"辩者之徒"，则确认其说为龙与同时辈侣所倡言者矣。兹将《列子》所引并录于左：

《庄子·天下》篇二十一事：

（一）卵有毛。

（二）鸡三足。

（三）郢有天下。

（四）犬可以为羊。

（五）马有卵。

（六）丁字有尾。

（七）火不热。

（八）山出口。

（九）轮不辗地。

（十）目不见。

（十一）指不至，至不绝。

（十二）龟长于蛇。

（十三）矩不方，规不可以为圆。

（十四）凿不围枘。

（十五）飞鸟之影未尝动也。

（十六）镞矢之疾而有不行不止之时。

（十七）狗非犬。

（十八）黄马骊牛三。

（十九）白狗黑。

（二十）孤驹未尝有母。

（二十一）一尺之捶，日取其半，万世不竭。

《列子·仲尼》篇七事：

（一）有意不心。

（二）有指不至。

（三）有物不尽。

（四）有影不移。

（五）发引千钧。

（六）白马非马。

（七）孤犊未尝有母。

右上两书，其词意俱同者二事：如《天下》篇之（十一）（二十），《仲尼》篇之（二）（七）。词异意同者二事：如《天下》篇之（十五）（十七）（二十一），《仲尼》篇之（四）（六）（三）。至见于本书者，则《天下》篇之“鸡三足”，《仲尼》篇之“白马非马”耳。其他诸义，未必无之；篇文脱佚，已莫从质证矣。或以《列子》一书为后人伪作，《庄子》外篇亦多驳杂，其所称述未必即得公孙之真。今按《列子》各篇，确为后人会粹补缀而成。但其资料多出姬汉故籍，马叙伦《列子伪书考》。当为可信。至《庄子·天下》篇虽非周所自著，绎其词旨，亦出晚周人手，或为门下弟子所作。闻见既切，所录称实，吾人但摭学理，即非自著，庸复何伤？且周秦子籍每多不自论述，同派晚辈辑其言行，附以存道，亦所时有。如《晏子春秋》及《庄子》“《让王》《渔父》”诸篇，章学诚《文史通义》。不无征例。古人之言，期于为公，此盖非所讳避。故班固《艺文志》于每略每种结末率标若干家，以明其义，九流之书别家而不别人。述作不必一手，宗风实出一派。如《管子》《孟子》即管氏、孟氏之家言，更不必本人自著也。此义既了，则《庄》《列》所载公孙学说有无疑义，可释然矣。

公孙学派出自何宗，此最当明辩。综揽群籍，约有数义，兹分举于下：

一主出自墨家。

是说创自晋之鲁胜，于所著《墨辩注序》谓“惠施、公孙龙祖述其学，以正别名显于世”。清儒张惠言沿之。其《书墨子经说解后》云：“观墨子之书，《经说》、大小《取》尽同异坚白之术。盖纵横、名、法家，惠施、公孙、申、韩之属皆出焉。”汪容甫《墨子序》亦言公孙龙为平原君客。当赵惠文、孝成二王之世始治《墨经》。陈兰甫《东塾读书记》更以《墨子·小取》篇“乘白马”“盗人”诸说与公孙相似，为出于墨氏之证。孙诒让《墨子间诂》谓“坚白异同之辩，与公孙龙书及《庄子·天下》篇所述惠施之言相出入”，似亦以公孙学风渊源墨家矣。近人胡适之益附其说，进以《墨经》为施、龙一辈所作。俱见所著《诸子不出于王官论》及《惠施、公孙龙之哲学》《中国哲学史大纲·别墨》诸篇。梁任公不主施、龙著经，而以龙之学派确出墨门。于其读《墨经余记》《墨子学案》皆反复言之。此一义也。

一主出自礼官。

是说始见班固《艺文志》。其书本子骏《七略》，而《七略》又出子政《别录》。当是中垒父子已有此说。两书久佚，今不可考。班《志》列施、龙于名家。更为说曰："名家者流，盖出于礼官。古者名位不同，礼亦异数。孔子曰：'必也正名乎！ 名不正则言不顺，言不顺则事不成。'此其所长也。及謷者为之，则苟钩鈲析乱而已。"是后治学者多主其说。近人章行严更以《汉志》所列名家皆"謷者"一流，龙即"謷者"之一；墨自为墨，与之绝不同流。并谓《墨经》为当时墨者抗御"謷者"所作，故其造论，义主反驳，与施、龙之旨每多齮龁。外列多证，推言其故。见所著《名、墨訾应论》及《訾应考》《墨学谈》三篇。此又一义也。

一主出自道家。

是说以古者学在官而不在民。老子世为史官，掌学库之管钥。一出而泄秘藏，学者宗之。各获师之一端，演为九流。得其玄虚一派者，为名家。廉江江瑔于《读子卮言》中始畅其旨。《卮言》第十章《论道家为百家所从出》篇。近人有朱谦之者著《周秦诸子学统述》，益附益之。引《老子》以证本书"鸡三足"、"白马非马"诸义，《诸子学统述·名家第四》。谓公孙学派衍自彼宗，此又一义也。

上述第三义谓名家源出老氏，老之论理观念为无名一派，与施、龙根本相反，其说殊无是处。所余二义，余主墨家一说，而观察则稍不同。胡、梁诸子以施、龙学出墨氏，谓其造论资料文句多与经同，足为左证。章氏则以名、墨两宗同论之事，其义莫不相反，申明彼此訾应异流之趣。以余所见，施、龙立论诚多与墨相反，然惟其如此，乃愈证施、龙为墨家者流。今于推言之先，当略明两家相异之点。大抵章氏所列名、墨訾应各条，多据《庄子·天下》篇之二十一事，尽以归诸惠施，证其与墨相左。不知此为桓团、公孙龙及其他辩者持以与施论难之旨，非施自有。说见上条。且除是以外，其散见本书者，尚有数义，今列举于下：

（一）《墨经》以“二有一”，公孙主“二无一”。说见本书《通变论》篇。

（二）坚白于石，《墨经》主盈，公孙主离。说见本书《坚白论》篇。

（三）白马非马，于《墨经》“偏去莫加少”之旨相违，已见《名、墨訾应考》。又《墨子·小取》篇以物有“或是而然者”，如“白马，马也；乘白马，乘马也”之例是。有“或是而不然者”，如“盗人，人也；多盗，非多人也”之例是。公孙“白马非马”

一义，与墨子“盗人”例同，胡适之《墨子小取篇新注》。正墨家所谓“是而不然”者。而其“是而然”者，则“白马马也”，与公孙之旨适成反对。

准是，则施、龙之旨既与墨殊，何谓其即出于墨？《庄子天下》篇曰：“相里勤之弟子、五侯之徒，南方之墨者苦获、已齿、邓陵子之属，俱诵《墨经》，而倍谲不同，相谓别墨。以坚白同异之辩相訾，以觭偶不仵之辞相应。”其“倍谲不同”四字最为关键。按《说文》“倍，反也”。《荀子·礼论》“故大路之马必倍”，杨倞注：“反之车在马前，令马熟识也。”又假借为“背”。《韩非》《淮南》、陶潜《集圣贤群辅录》“倍谲”均作“背谲”，意俱相同。谲，《东京赋》“瑰异谲诡”，注“变化也”；《舞赋》“瑰姿谲起”，注“异也”。此言“倍谲”，应依朱丰说训为“乖违”。见《说文通训定声》。言相里之徒虽诵《墨经》，而与经旨乖违；下接言“不同”，申言其相异也。既与墨殊，诵经者流乃互遮其不合之处，诮以“别墨”。“别墨”犹言异端，谓与真墨相别也。细绎《庄子》语意，所以析相里异墨之迹甚明。今按施、龙学派，即属于此宗旨。于何证之？下文接云“以坚白同异之辩相訾”，“坚白”一义，畅于公孙，惠施亦时阐其旨。《庄子·齐物论》称“惠子之据梧也……故以坚白之昧终”，可证。足知均为相里一流而俱诵《墨经》者。其所持论，又多与墨僢驰，适符所谓倍谲不同之义。则施、龙之不合于墨，正其出于《墨经》之显征也。章氏摭彼异点谓为殊途，适得其反矣。或以“倍谲不同”系指相里、苦获诸人，自相差别，非与墨殊。不知若辈既俱诵《墨经》，持论自宜一致；如有倍谲，间接即不合于墨。其理甚明，无待繁解。于此又当有诘者曰：如诵《墨经》而不与经合，则显为异派矣，何又谓为学出于墨？曰：施、龙之于《墨经》，但肄其辩论方法耳。经中界说，犹 Aristotle（亚里士多德）之连珠律令，具有法例，条贯著明，为籀绎名理之工具。施、龙所取，端在乎是。至其由方法而证得之学理，与墨或殊，则 Aristotle 之与 Plato（柏拉图），固尝以师弟而反驳指摘矣。惟言公孙诵经，独习辩术，法应列证，俾便推究。兹分写数则于下：

（一）《墨经》之逻辑方式，间如西洋之三支，合大前提、小前提、断案三者而成。如《经说》下：

大前提＝“假，必非也而后假。”

小前提＝“狗，假虎也。”

断案＝“狗非虎也。”

公孙书中亦时有用此格者。如“白马非马”一义，订其式为：

大前提＝“命色者，非命形也。”

小前提＝“马者,所以命形也。白者所以命色也。”

断案＝“故白马非马。”按：上列三支均依公孙原文，其断案一词故有未合，此但明其方式耳。

（二）《墨经》之根本原理只在明“类”。原书关于“类”之界说，如《经上》篇:“同：重，体，合，类。异：二，不体，不合，不类。”《经下》篇:“正：类以行之，说在同。”“推类之难，说在大小。”“异类不比，说在量。”“一法之相与也尽类，若方之相合也,说在方。”以上均依梁任公校本。其明“类”方法，则在《小取》篇之“以类予，以类取”。前为演绎，后为归纳。公孙书中亦每用此项规律。如《通变论》之“羊合牛非马”、“牛合羊非鸡”、“青以白非黄”、“白以青非碧”，各项界说皆以“类”字为根本原理，推正其是非。篇中如“是不俱有，而或类焉”、“是俱有而类之不同也”、“若举而以是，犹类之不同”、“其无以类，审矣”、“黄其马也，其与类乎”诸语，均可指证。又书中《白马》诸论，理似纷赜，细绎其怡，皆展转以“类”相明；反之《墨经》，渊源益著矣。右上两项，寻常言文中时见其例，不必限于墨、施，此特显著耳。参看本书《通变论》篇。

（三）《墨子·大取、小取》两篇为《墨经》余论。孙仲容《大取》篇题注。《小取》列论证之法则有七，其一为“侔”。解之曰：“侔也者，比辞而俱行也。”即用彼一判断说明此一判断。本书《跡府》篇以仲尼“异楚人于所谓人”，侔孔穿“异白马于所谓马”；以齐王“知好士之名，而不察士之类”，侔孔穿“知难白马之非马，不知所以难之说”，皆以其法，转相折辩。惟《跡府》原文非龙自著，当是龙、穿辩难之词载之他籍，经后人纂辑而成，说见本篇。仍未为失真也。

（四）《墨经》陈义每有特殊术语，所定界说异乎他宗。如“举”、“类”、“正”、“狂”、“盈”、“当”、“唯”、“行”诸字，公孙本书屡沿用之。是犹科学之专门名词，另标新诂，不能间越。两相对照，公孙所习何宗，由其所用字训，可以上识师承矣。

右上各端，于公孙所用论辩方法、渊源《墨经》之处，略见其例。惜原书残佚大半，未能博引。至此可总括前义，为一结论曰：公孙诵经，系于方法方面传其论辩之术，于义理方面则或背而不遵。呜呼！所谓“倍谲”者在是，所谓“私淑”者亦在是也。

虽然，公孙而果出于墨者，其在墨门之中居何地位？是当明了墨学传授之派别。关于此节，任公论之最审。其言曰："墨子之所以教者，曰爱与智。《天志》《尚同》《兼爱》诸篇，墨子言之而弟子述之者，什九皆教爱之言也。《经》上下两篇，半出墨子自著，南北墨者俱诵之。或诵所闻，或参已见，以为《经说》，则教智之言也。"《墨经校译序》。尝就任公之说，分墨学为两宗：一属于教爱者，为墨子之伦理学；一属于教智者，为墨子之辩证学。夷考其原，系以所得之辩证方法，阐其所抱之伦理主义。如《墨子》：《非儒》《非攻》《非乐》《非命》《兼爱》《节葬》《节用》诸篇，胥能窥其论理工具之完密。言爱言智，理实一贯。而徒属传授，每就性之所近，各有专习。得其伦理一派，多演为实践家，如孟胜、禽滑厘诸人是也。得其辩证一派，多演为名理家，如三墨、惠施诸人是也。正类孔门之中，颜氏传《诗》，孟氏传《书》。陶潜《集圣贤君辅录》。大乘教下，龙树明性，无著明相，皆同源而异流者也。公孙后墨子一百四十余岁，略据梁任公《先秦政治思想史人物年代表》。虽以晚出，未获亲炙，但既诵习《墨经》而传其籀理方法，应为辩证一派。所不可掩者，惟曾劝燕昭王、赵惠王偃兵，亦似受墨子非攻主义之影响，近于伦理一派。但置之公孙学说全部，仍当认为末端。且吾前既言，墨子立教，爱智相通。学统分传，交相激荡，不无融化渗合之处，只就其大者、专者言之耳。今依瑞安孙氏《墨学传授考》弟子人名，列为《墨学派别表》于左，以明其系：

- 墨学
  - 伦理学派
    - 禽滑釐
      - 索卢参
      - 许犯—田击
    - 高石子
    - 高何
    - 县子硕
    - 公尚过
    - 耕柱子
    - 魏越
    - 随巢子
    - 胡非子—屈将子
    - 管黔滶
    - 高孙子
    - 治徒娱
    - 跌鼻
    - 田俅（一作田鸠）
    - 缠子
    - 孟胜—徐弱
    - 田襄子
    - 腹䵍
    - 夷子
  - 辩证学派
    - 相里勤—五候子
    - 相夫氏
    - 邓陵氏
    - 苦获
    - 已齿
    - 谢子
    - 惠施
    - 公孙龙—綦毋子
    - 毛公

左表，凡《传授考》中事迹不明及叛道行乖者，均不录。施、龙二人，系按前说补入。《汉书·艺文志》注引刘向《别录》谓“毛公论坚白同异，以为可以治天下”，是所称述，似与公孙同一学系，且并游平原君门下，当是一时辈侣，故次于龙左。又《史记·平原君列传》注亦引《别录》，谓“邹衍过赵，见公孙龙及其徒綦毋子之属”，是以綦毋为公孙随从弟子，亦附入焉。

公孙学派果衍自墨氏，孟坚《艺文志》曷不列入墨家，而列入名家？是当先述名家学术 之范围。兹引旧说于下：

> 名家苛察缴绕，使人不得反其意，专决于名而失人情。……若夫控名责实，参伍不失，此不可不察也。司马谈《论六家要指》。
>
> 名家者流，盖出于礼官。古者名位不同，礼亦异数。孔子曰：“必也正名乎！名不正，则言不顺；言不顺，则事不成。”此其所长也。班固《汉书·艺文志》。
>
> 名家者流，所以辨覈名实，流别等威，使上下之分不相踰越也。《崇文总目叙释》。

综上定义，名家所事之范围，厥为控名责实。易言之，即为正名。参看次条。《汉志》所列名家，书多残佚。其可资考镜者，莫不以是为鹄。公孙之《名实》一篇，无论矣。他如邓析、尹文，悉同此旨。兹节录原书语文于左：

> 循名责实，君之事也。奉法宣令，臣之职也。《邓子·无厚》篇。
>
> 循名责实，实之极也。按实定名，名之极也。参以相半，转而相成，故得之形名。……明君之督大臣，缘身而责名，缘名而责形，缘形而责实。《邓子·转辞》篇。
>
> 名也者，正形者也。形正由名，则名不可差。……有形者必有名，有名者未必有形。形而不名，未必失其方圆白黑之实，名而不可不寻名以检其差。故亦有名以检形，形以定名，名以定事，事以检名。察其所以然，则形名之与事物，无所隐其理矣。…… 今万物俱存，不以名正之则乱。万名俱列，不以形应之则乖，故形名者不可以不正也。《尹文子·大道上》。按：原书多论名实文字，繁不具引。

名家既以正名为事矣。以吾所见，初则但如孔子“名不正则言不顺”，指陈正名与政治社会之利害关系，椎轮大辂，动机尚微，并未以此专其所学，更无所谓名家之号也。迨后道 家诸子，若杨、庄一流，煽老氏无名之学风，以名伪无实，《列子·杨朱》篇。是非齐一，旨详《庄子·齐物论》各篇。词锋犀利，转相诘难。正名者流，乃思为自卫之策。更以向论单纯，壁垒未坚。对于自身，进而讨论正名之工具；对于他宗，转而研求辩证之方法，相激相荡，蔚成宗风。此时代著述，可以《尹文子·大道上》篇、《公孙龙子·名实论》《荀子·正名》篇等代表之。而《墨经》一书尤为圭臬。墨子著经，按系另有作用。鲁胜《墨辩注叙》云："墨子作《辩经》以立名本。"是正名亦为著经条件之一。又《墨经》各条，必以一字或数字标题，下说明题字定义。如第一条标为"故"字，接云："所得而后成也。"第二条标为"体"，接云："分于兼也。"余俱类是。其所标题字，若"故"若"体"，皆名也。所述题字定义，如"所得而后成也"、"分于兼也"，皆所以正"故""体"之名也。名之不正，由其界说不定；既定矣，胡为不正？此愚千虑一得，认为《墨经》上下必兼为正名作也。惟当时诸子之言正名，有兼有专。兼者，如管子、韩非以法家谈名见《管子·枢言》篇、《白心》篇、《韩非子·扬权》诸篇。又班《志》列《管子》于道家。《史记·管晏列传赞正义》引《七略》《管子》十八篇，在法家"。清《四库书目》等书均入法家，兹从之。荀子以儒家谈名，墨子以墨家谈名，尸子、吕子以杂家谈名。汪辑《尸子·分篇、发蒙篇》，《吕氏春秋·先识览》八诸篇。在其学说全部只占一域；或为所标主义之一种基念，或以论旨旁衍与名相通。总之踳而不纯，虽曾论名而不为专家。后之史官仍就其学术宗旨之大者、正者属于何派，谓为法家，或儒家、墨家、杂家，以明其宗而昭其实，初不谓之名家也。专者如施、龙诸子，其学说全部特重于名，贯彻初终，成一家之言。源虽他出，帜坛顿异。故尹文当时即有名、法、儒、墨之分号，《大道上》篇。用别他宗。太史公谈乃更为名家一词，引纳其人。中垒父子沿之。孟坚《汉书》更因以入志。此名家一义成立之源，而公孙所以由墨归名也。马迁书载申、韩之学，导源老氏，《史记·老庄申韩列传》谓申韩“惨礉少恩，皆原于道德之意”。又称“老子著书上下篇，言道德之意”云云。彼此对照，可识其旨。夷考《汉志》，则前为法家，后为道家。此与公孙诵习《墨经》，不入之墨而入之名，同一理也。又班氏《艺文志》有互见之例，章学诚《校雠通义》第三。一人能兼数家之学，一书能入数家之目。同为商鞅，可以入法家，亦可以入兵家。同为黄帝，可以入道家，亦可以入阴阳家、小说家。九流部次，并非不能相通。公孙之为墨为名，又何间焉？

名与实，相表里者也。始本无名，因实而生名；继而有名，循名以责实。今有恒言曰博爱、自由、平等，所谓名者也。正此之名，以召天下。进而求其实，是否与名相符？果博爱乎？果自由、平等乎？如不相符，若何而求符？所谓“责实”者是也。然实由名辨，名之不立，何缘相责？具名而不正，虽责何成？此又正名之功用也。细至一身，推及社会国家，执此以绳，若网在纲。董仲舒曰："名者，大理之首章也。录其首章之意，以窥其中之事，则是非可知，顺逆自著。"《春秋繁露·深察名号》第三十五。旨哉言乎！此物此志也。虽然，学术思想之发展变迁，恒有时代之背影映乎其后。正名主义何以发生于周、秦、战国之际？吾尝进而求其背影，知当时所谓法纪名分者，盖已荡然无存。诸侯力政，荡闲乱位，率兽食人，毒祸无已。钩鈲析乱之徒又从而骋辞取容。因名乱名者有之，因实乱名者有之，因名乱实者有之。俱见《荀子·正名》篇。苛察缴绕，无伦无脊。故荀子曰："今圣王没，名守漫，奇辞起，名实乱，是非之形不明；则虽守法之吏，诵数之儒，亦皆乱也。"贤士哲人鉴于名乱而通于世变也，尽然思所以矫之之术。对症量剂，乃出于正名之一途。《淮南子》曰："诸子之兴，皆因救时之弊。"《要略》篇。正名者流，殆亦出乎救时，公孙即其一也。今所著书已无能窥其全豹，而最后《名实》一篇，分界别域，丝忽不假。其循名责实之精神，均跃然可见。至《白马》《坚白》《指物》《通变》诸篇，似曼衍恢谲矣。然其理论，谓为不谐于俗则可，谓非彻底忠实之研究则不可。白马何以非马？坚白何以离石？实有攸归，名何能乱。矫而正之，以明其真。真出而名实辨，由是通政治之管钥焉。故本书云:“公孙龙疾名实之散乱，假物取譬，以守白辩。……欲推是辩，以正名实，而纪天下焉。”鲁胜《墨经辩注叙》曰:“取辩于一物，而原极天下之污隆。”又西山真氏曰:“其著坚白同异，欲推之天下国家，使君臣上下循名责实，而后能治者，可谓详矣。”是皆深洞公孙命意所在，知其斤斤于一马一石之微，非以逞口给，邀辩名；亦欲深入而显出之，正彼名实，以药时弊也。综厥公孙生平，如劝燕昭王、赵惠王偃兵诸端，莫不睠睠苍黎，屠口相诤；言行之大，俱见篇籍。而后人以其掉口细事，不耐探讨。更因学派异流，若不韦、淮南、子云、直斋之徒，皆并口相诋，谓为诡辩。其洞精墨学之仲容孙氏，亦或不免有微辞焉。见《与梁卓如书》。尘藐终古，谁识其济世苦心哉!

如上所述，名家之兴既基于救时，刘《略》、班《志》乃以其学术渊源礼官，无乃非欤?曰然。刘、班所云某官之掌，即法具于官、官守其书之义也。其云流而为某家之学，即官司失职而师弟传业之义也。本章学诚《校雠通义·原道》第一。名之于礼，未始不可相通；而必以官师合一之旨，牵名家而就之，谓为出自礼官，则失其真矣。欲宣其蕴，当返诸原始制“名”之本意。按《说文》:“名，自命也。从口从夕。夕者，冥也。冥不相见，故以口自名。”此其造字之初，难以晤言会意，推诸事务，胥同其理。物而不能摭实，事而不能具体，皆如冥不相见，可以口名也。名定而人共守之，塞乎宇宙，无无名者，范围广矣。是故名之分类，在逻辑学中为量甚繁。吾国往古论名之士，亦或区为数科。如《墨经》之“达名”、“类名”、“私名”，尹文之“命物之名”、“毁誉之名”、“况谓之名”，《大道上》。此就广义分之也。荀卿以“刑名从商，爵名从周，文名从礼，散名之加于万物者，则从诸夏之成俗曲期”。《正名》篇。此其定义，较前为专。礼官所掌，乃上述四名之一端，国家五礼节文之名，所谓“文名”是也。名家致力，类在“散名”。“散名”为名之散在人间者，随俗制定，易致淆乱，因以施其正之之术；章行严《联邦论答潘力山》篇颇主是说，章太严《国故论衡·原名》篇亦以名家论列为散名一门。与礼官并不同类。前为文名，后为散名。含诸名之全量，并派分流，其位相埒，更无所谓官守传业之先后也。且礼官职司，为已成之典章。名家论述，为籀证之新解。前属保守，后属开拓。非特两者精神判然不同，而名家以其努力所得，于所谓礼节者，或龁然不能相容。墨子洞精名学，于此尤显。礼之于葬俱有定义，而墨主节葬。礼之于乐亦有成章，而墨主非乐。其门下后学如施、龙之徒，则愈接愈厉。甚举常识之所公认者，力反其说。鸡二足，而谓之三足；目能见，而谓之不见；白马马也，而谓之非马；坚白寓于石也，而谓之分离。凡此所列，举足证明名家、礼官之分途，益见刘、班所云未足据为实录也。或以施、龙诸子乃班氏原称“警者”之徒，其与礼官殊趣，即刘《略》、班《志》所谓“失而为某氏之弊”者。参看章学诚《校雠通义·原道》第一。曰：由斯以言，班《志》载列名家之书，何氏非“警者”一流，而与礼官相通？若有其人，佐证何在？若元其人，乌云礼官为所从出？如谓所列载籍完全为“警者”所作，章行严《名、墨訾应论》即主是说。则又安可加以名家之号用紫夺朱？展转思之，究竟难通，有以知师官合一之说未尽然也。

周秦之间有两公孙龙。一为仲尼弟子，字子石，少孔子五十三岁，春秋时人。见《家语》及《史记·仲尼弟子列传》。一为本书著者之公孙龙，字子秉，战国时人。二者年代悬殊，《史记正义》以前一公孙龙，引《庄子》之说，谓为坚白之谈。见《仲尼·弟子列传》。《索引》又以后一公孙龙为仲尼弟子。见《孟子荀卿列传》。交相舛误，殊堪发噱。孔子卒时，为周敬王四十一年。公孙子石既少孔子五十三岁，是年应为二十岁。其去赧王五十八年，即邯郸破秦，公孙子秉食客平原之时，相距二百十九年。若为一人，寿算至此，已逾二百数十余纪，可一笑解矣。

与公孙同时大师，有孟轲、惠施、庄周、邹衍、荀卿诸子。孟惠年代稍前，荀卿较后，庄、邹则前后略等。

兹就其言行时地可资稽证者，编搜群籍，为表于左，以明彼此出处之先后：

时代	周烈王	周显王	周慎靓王	周赧王	秦始皇帝
孟轲	四年四月四日生（《孟子谱》、吕元善《圣门传》）。	游事齐宣王，宣王不能用；适秦，梁惠王不果所言（《史记·孟子荀卿列传》）。		二十六年十月十五日卒（《孟子谱》、吕元善《圣门传》）。	
惠施		三十五年齐、梁会于徐州，为施献议（《吕氏春秋》）。	二年，梁惠王卒，施尚在（《战国策》）。		
庄周		与齐宣王、梁惠王同时（《史记·老庄申韩列传》）。	惠施卒后，周尚存（《庄子》）。		
邹衍		适梁，梁惠王郊迎（《史记·孟子荀卿列传》）。		适燕，燕昭王拥彗先驱（《史记·孟子荀卿列传》）。五十八年，邯郸破秦后，衍过赵，平原君侧行撇席。（《史记·平原君列传》《孟子荀卿列传》）。	

公孙龙				三十一年前，曾劝燕昭王偃兵(《吕氏春秋》)。五十八年，劝平原君勿受封(《史记·平原君列传》)。	
荀卿			齐泯王时游学于齐（《史记·孟子荀卿列传》、汪容甫《荀卿子年表》)。	与秦昭王、应侯问答（荀卿《儒效》篇、《强国》篇）。与临武君议兵（《荀子·议兵》篇）。楚考烈王八年，荀卿为兰陵令（汪容甫《荀卿子年表》)。	九年楚杀春申君，荀卿废(《史记·六国表》《孟子荀卿列传》)。

一人之学术思想凡足以号召一世者，每与同时之学人大师相激相荡。其以主观不同而发生反动者有矣，其以相务求胜而排轧诋諆者亦有矣。公孙于例，殆未能免。上述诸子，孟于龙为先辈，年齿相悬，似无若何接触。惠据《庄子·天下》篇所载，曾与公孙及其他辩者以二十一事相訾应。胡适之《哲学史大纲》以《天下》篇“辩者”谓系龙之前辈，谓公孙自身不及与施相辩，引原文“桓团、公孙龙辩者之徒”诸语证之。按：辩者之徒，如谓辩者一流，公孙同时即在其中，非其后辈也。义详前。原书仅标辩题，无从释其详旨。邹

子只刘向《别录》载在平原君家辩论一段，参看《事辑》。亦无精意，从略。其于公孙学说攻击最烈者，厥为庄、荀二家。兹分引原书语文于下：

以指喻指之非指，不若以非指喻指之非指也。以马喻马之非马，不若以非马喻马之非马也。天地一指也，万物一马也。《庄子·齐物论》。按：“指”“马”二喻，系对龙之《指物》《白马》两论所发。其义甚辩，参看公孙原著及章太炎《齐物论释》。

知诈渐毒，颉滑坚白，解垢同异之变多，则俗惑于辩矣。《庄子·胠箧》篇。

公孙龙问于魏牟曰：“龙少学先王之道，长而明仁义之行；合同异，离坚白；然不然，可不可；困百家之知，穷众口之辩；吾以为至达矣。今吾闻庄子之言，茫焉异之，不知论之不及与，知之弗若与？今吾无所开吾喙，敢问其方？”公子牟隐机大息，仰天而笑曰：“子独不闻夫埳井之鼃乎？谓东海之鳖曰：‘吾乐与！出跳梁乎井干之上，入休乎缺甃之崖；赴水则接腋持颐，蹶泥则没足灭跗；还虷、蟹与科斗，莫吾能若也。且夫擅一壑之水，而跨跱埳井之乐，此亦至矣，夫子奚不时来入观乎？’东海之鳖左足未入，而右膝已絷矣。于是逡巡而却，告之海曰:“夫千里之远,不足以举其大,千仞之高,不足以极其深。禹之时,十年九潦,而水弗为加益。汤之时,八年七旱,而崖不为加损。夫不为顷久推移,不以多少进退者,此亦东海之大乐也。”于是埳井之鼃闻之,适适然惊,规规然自失也。且夫知不知是非之竟,而犹欲观于庄子之言,是犹使蚊负山,商蚷驰河也,必不胜任矣。且夫知不知论极妙之言而自适一时之利者,是非埳井之鼃与?且彼方跐黄泉而登大皇,无南无北,奭然四解,沦于不测;无东无西,始于玄冥,反于大通。子乃规规然而求之以察,索之以辩,是直用管窥天,用锥指地也,不亦小乎?子往矣!且子独不闻夫寿陵余子之学行于邯郸与?未得国能,又失其故行矣,直匍匐而归耳。今子不去,将忘子之故,失子之业。”公孙龙口呿而不合,舌举而不下,乃逸而走。《庄子·秋水》篇。按:此为寓言,借魏牟以折公孙,非实录也。

夫坚白同异,有厚无厚之察,非不察也。然而君子不辩,止之也。《荀子·修身》篇。

若夫充虚之相施易也,坚白同异之分隔也,是聪耳之所不能听也,明目之所不能见也,辩士之所不能言也,虽有圣人之知,未能偻指也。不知无害为君子，知之无损为小人。……而狂惑戆陋之人乃始率其群徒，辩其谈说，明其辟称，老身长子不知恶也。夫是之谓上愚。《荀子·儒效》篇。

本末相顺，终始相应，至文以有别，至察以有说。……礼之理诚深矣。坚白同异之察，入焉而溺，其理诚大矣。《荀子·礼论》篇。

非而谒，楹有牛马非马也，此惑于用名以乱实者也。《荀子·正名》篇。

庄周曰："两怒必多溢恶之言。"《人间世》篇。上述驳议，未必悉得其平。而公孙之在当时，其影响于思想界者，可推得其概矣。孙诒让叙《墨学通论》曰："世之君子，有秉心敬恕，精究古今学业纯驳之故者，读墨氏之遗书，而以此篇证其离合，必有以持其是非之平矣。"窃比其义，不加评判，以俟世之知言君子。

清季学者注释本书，先后有俞荫甫、孙仲容二氏，然皆考据家言也。其在清初，有吴人程云庄者，服膺公孙，为《守白论》一篇。《鲒埼亭外编》载《书程云庄语录后》一文，称全篇分十六目，其前八目曰：

不著形质，不杂青黄之白，是为真白。此彼相非之谓指。指有不至，至则不指；不指之指，是为真指。

是非交错，此彼和同，是为指物。青白既兼，方员亦举，二三交错，直析横分，是为指变。万变攘攘，各正性命，声负色胜，天地莫能定，惟人言是正。言正之物，是为名物。惟名统物，天地莫测。天地莫测，名与偕极。与天地偕极之物，其谁得而有无之？幻假之，是为真物。指而非指，非指而指，非指而指，而指非指，是为物指。一不是双，二自非一 ，只双二只。黄马坚石，惟其所适，此之谓物变。

其后八目曰：

不落形色，不涉是即。自地之天，地中取天，曰地天。统尽形色，脱尽是即。有天之地，天中取地，曰天地。天地地天，地天天地，闪铄难名，精光独透，曰真神。至精至神，结顶位极，名实兼尽，惟独为正，曰神物。天地之中，物无自物，往来交错，物各自物，惟审乃知，曰审知。惟审则直，惟至则止，纵横周徧，一知之至，曰至知。实不旷位，名不通位，惟慎所谓，名实自正，曰慎谓。彼此惟谓，当正不变，通变惟神，神化惟变，曰神变。

其宗旨则曰：

天地惟神，万物惟名。天地无知，惟神生知。指皆无物，惟名成物。

按云庄名智，一字子尚，洞精《易学》。此篇参以释、老，附会成说。间有精到之处，与公孙原著互相发明。绝学千载，殆空谷足音也。

公孙龙子悬解一

跡府第一

俞荫甫曰:《楚辞·惜诵》篇“言与行其可迹兮”，注曰:“所履为迹。”跡与迹同。下诸篇皆其言也，独此篇记公孙龙子与孔穿相问难，是实举一事，故谓之跡。”按:俞说是也。“府”,《小尔雅广诂》训从。《秦策》“此谓天府”，注:“聚也。”义俱相近。此言“跡府”,即汇记公孙事跡之意。原文非龙自著，似由后人割裂群书，荟萃而成。其证有三:

（一）本篇开始，提书“公孙龙，六国时辩士也”。中段又曰:“公孙龙，赵平原君之客也。”自著之书，无此语气。其对孔穿先教后师之语，上下重复，尤证非出一手。

（二）篇中后人补缀之跡，诸书俱在，均可覆按。如尹文论士一段，见《吕氏春秋·先识览》八；孔子论楚人一段，见《孔丛子·公孙龙》第十一。《孔丛》伪书，或是此段另见他籍，纂本篇之人与伪《孔丛》者同采取之，今不可考矣。

（三）白马非马之义，已详专篇，此章反数数及之，覆床叠架，于例未合。当系采诸他书，依文排列，并未计及后文应照与否也。

综上数点，本篇之为伪作，已无疑义。近人章行严于《甲寅周刊·跡府》篇独辨为真。意以学者著述，辄以自身言行公之于世。一人自状，百人同证，本篇即属此类。其言辩矣；然于上述罅隙，将何以藏掩耶？

“跡府”，“跡”，陈兰甫注本作“迹”。《道藏》各本作“跡”。俞荫甫所据本亦作“跡”。

公孙龙，六国时辩士也。疾名实之散乱，因资材之所长，为“守白”之论。假物取譬，以“守白”辩。

“名实”定义，详后《名实》篇。“因资材”句，指龙自身之天资材器，于辩论之术有所独优。谢希深谓“物各有材，圣人之所资用者也”，殊失其旨。“守白”，俞荫甫曰：“守之为言执守也。执白以求马，是谓守白。夫道不可以有执也。执仁以求人，义士不至；执智以求人，勇士不来；故公孙龙有守白之论也。”按“白”之一字，指下文白马而言。执白而辩非马，故为“守白”一辞，以标论旨。俞说“道不可有执”，既言守白，白非执乎？似为未允。

谓白马为非马也。白马为非马者：言白所以名色，言马所以名形也；色非形，形非色也。

夫言色则形不当与，言形则色不宜从；今合以为物，非也。如求白马于厩中，无有，而有骊色之马，然不可以应有白马也。不可以应有白马，则所求之马亡矣；亡则白马竟非马。欲推是辩，以正名实，而化天下焉。

白马一义，详下《白马论》篇。末言“欲推是辩，以正名实”，深洞公孙造论之微。参看《叙录》。

龙与孔穿会赵平原君家。

孔穿，字子高，孔子六代孙。《列子》张湛注引《世纪》云：“公孙龙弟子也。”按下段及《孔丛子》均载龙、穿论辩之辞。绎其语意，类非师弟所为。或文中有“愿为弟子”诸语，误会其词耳。

穿曰：“素闻先生高谊，愿为弟子久；但不取先生以白马为非马耳。请去此术，则穿请为弟子。”

龙曰：“先生之言悖。龙之所以为名者，乃以白马之论尔。今使龙去之，则无以教焉。且欲师之者，以智与学不如也。今使龙去之，此先教而后师之也。先教而后

师之者，悖。且白马非马，乃仲尼之所取。龙闻楚王张繁弱之弓，载忘归之矢，以射蛟兕于云梦之圃，而丧其弓。左右请求之。王曰："止！楚王遗弓，楚人得之，又何求乎？"仲尼闻之曰："楚王仁义而未遂也。亦曰'人亡弓，人得之'而已，何必楚？"若此，仲尼异楚人于所谓人。夫是仲尼异楚人于所谓人，而非龙异白马于所谓马，悖。先生修儒术而非仲尼之所取，欲学而使龙去所教，则虽百龙固不能当前矣。"孔穿无以应焉。

此段亦见《孔丛子》，惟词句少异。按人与楚人，以逻辑绳之：前为周延，后为不周延，参看本书《白马论》篇。两辞之范围不同。马与白马，义亦类是。故仲尼异楚人于所谓人，公孙异白马于所谓马，二者命题，其式相侔，乃引此为比也。但孔子论旨，原本同仁大公之怀，泯除人与楚人界限，与公孙之审覈名实者，又自各别，此特取其论式相类耳。

"楚王遗弓"，"王"，陈本作"人"。《道藏》及守山阁诸本均作"王"。按：陈本是也。下文"人亡弓，人得之而已，何必楚"，上一"人"字即承此而发。又"仲尼异楚人于所谓人"，其"楚人"亦指此。《孔丛子·公孙龙》篇正作"人"，尤可证。

公孙龙，赵平原君之客也。孔穿，孔子之叶也。穿与龙会。穿谓龙曰：“臣居鲁，侧闻下风，高先生之智，说先生之行，愿受业之日久矣，乃今得见。然所不取先生者，独不取先生之以白马为非马耳。请去白马非马之学，穿请为弟子。”

公孙龙曰：“先生之言悖。龙之学，以白马为非马者也。使龙去之，则龙无以教。无以教而乃学于龙也者，悖。且夫欲学于龙者，以智与学焉为不逮也。今教龙去白马非马，是先 教而后师之也。先教而后师之，不可。先生之所以教龙者，似齐王之谓尹文也。齐王之谓尹文曰：“寡人甚好士，以齐国无士何也？”尹文曰：“愿闻大王之所谓士者。”齐王无以应。尹文曰：“今有人于此，事君则忠，事亲则孝，交友则信，处乡则顺。有此四行，可谓士乎？”齐王曰：“善！此真吾所谓士也。”尹文曰：“王得此人，肯以为臣乎？”王曰：“所愿而不可得也。”是时齐王好勇。于是尹文曰：“使此人广庭大众之中，见侵侮而终不敢斗，王将以为臣乎？”王曰：“钜士也？见侮而不斗，辱也。辱则寡人不以为臣矣。”尹文曰：“唯见侮而不斗，未失其四行也。是人未失其四行，其所以为士也。然而王一以为臣，一不以为臣；则向之所谓士者乃非士乎？”齐王无以应。

“臣居鲁”，按《汉书·高帝纪》“臣少好相”，注：“古人相与语，多自称臣，自卑下之道也。”又《书·费誓》“臣妾逋逃”，郑注：“臣妾，厕役之属也。”大抵古人称臣，其施于侪辈者，犹男子称仆，女子称妾，以厕役自牧之意，不尽对君言也。尹文，《吕氏春秋》《说苑》均载与齐宣王、湣王问答事，盖当时稷下士也。《汉书·艺文志》注称先公孙龙，而《容斋续笔》引刘歆语，谓与宋钘诸人同学于龙。仲长统《尹文子序》宗其说。今以此段校之，《汉志》注为可信。以果学于龙者，当不至师引弟语为重，必在龙前也。又姚首源《古今伪书考》亦谓公孙后于尹文，是代甚相殊悬。据此，当知刘仲之说非审也。“以齐国无士”，俞荫甫曰：“以字，乃如字之误。”“钜士也”，孙仲容曰：“钜与讵通。《荀子·正论》篇云：‘是岂钜知见侮之为不辱哉。’杨注云：‘钜与遽同。’明刊《子汇》本及钱熙祚本并作讵，疑校者所改。”又“唯见侮而不辱”，俞荫甫曰：“唯当为虽，古书通用，说见王氏引之《经传释词》。”按《吕氏春秋·先识览》八同载此文，“唯”已作“虽”矣。“其所以为士也”，俞荫甫引《吕览》，以句上有“是未失”三字，本书脱之，应据校补。

“欲学于龙者”，“于”，守山阁本讹作“而”。

“以齐国无士何也”，“以”，守山阁本及《孔丛子·公孙龙》篇均作“而”。陈本及《道藏》各本作“以”。俞荫甫曰:“以，乃“如”字之误。”陈兰甫曰:“以，犹而也。”按：此句如作“而”字，可不烦改释而义自通。应从守山阁本订正。

“唯见侮而不斗”，“唯”,《吕览》作“虽”，已见原释。《孔丛子·公孙龙》篇亦作“虽”。

“其所以为士也”，此句,《吕览》作“未失其所以为士”。

尹文曰:“今有人君将理其国，人有非则非之，无非则亦非之；有功则赏之，无功则亦赏之:而怨人之不理也可乎？”齐王曰:“不可。”尹文曰:“臣窃观下吏之理齐，其方若此矣。”王曰:“寡人理国，信若先生之言，人虽不理，寡人不敢怨也。意未至然与？”

《玉》篇:“欤，古通作与。”“意未至然与”,《吕览》作“意者未至然乎”。殆云尹文所述，意未必至是。

问之词，与下文尹文曰“言之敢无说乎”语气自合。谢注:“意之所思，未至大道。”非是。

尹文曰："言之敢无说乎？王之令曰：'杀人者死，伤人者刑。'人有畏王之令者，见侮而终不敢斗，是全王之令也。而王曰：'见侮而不斗者，辱也。'谓之辱，非之也。无非而王辱之，故因除其籍，不以为臣也。不以为臣者，罚之也。此无罪而王罚之也。且王辱不敢斗者，必荣敢斗者也。荣敢斗者是，而王是之，必以为臣矣。必以为臣者，赏之也。彼无功而王赏之。王之所赏，吏之所诛也；上之所是，而法之所罪也。赏罚是非，相与四谬，虽十黄帝，不能理也。"齐王无以应焉。

"相与四谬"，犹云"共为四谬"，指上"赏罚是非"四者言也。俞荫甫曰："'荣敢斗者是，而王是之'，当作'荣敢斗者，是之也，无是而王是之'。'彼无功而王赏之'，当作'此无功而王赏之也'。如此则与上文相对矣。又上文'无非而王辱之'，当作'无非而王非之'，与此文'无是而王是之'相对。"按俞说甚确。又"上之所是"，"上"字，证以前后文，疑当为"王"字，体近而讹。本篇由前"齐王之谓尹文曰"至此，述齐王与尹文事毕，下明正义。

"相与四谬"，"四"《孔丛子·公孙龙》篇讹作"曲"。

故龙以子之言有似齐王。子知难白马之非马，不知所以难之说。以此，犹知好士之名，而不知察士之类。

“以此”之“以”字，似衍。段尾疑有佚文。齐王所好者勇士，乃士类中之一格，不能以勇士而概全体，谓好勇士即为好士。在名词之性质上，士属周延，勇士为不周延。齐王漫为一类，同名并举，宜其词之不中效也。此段论士与勇士，命题与“白马”式同。孔穿难白马非马，是以白马为马也。与齐王之以勇士为士，其失相若，故云“有似齐王”。合前段之“人”与“楚人”，皆《墨经》所谓“比辞俱行”者也，兹统前后三义，为式如下，以明其旨：

（甲）

人（周延）：楚人（不周延）：：马（周延）：白马（不周延）

（乙）

士（周延）：勇士（不周延）：：马（周延）：白马（不周延）

上述论旨，其主要绎理方法即在明类。马与白马、人与楚人、士与勇士，其不同之点即在周延与不周延，词类相异也。末云“察士之类”，论旨自明。

参看《叙录》。谢希深曰："察士之善恶类能而任之。"俞荫甫曰："齐王执勇以求士，止可以得勇士，而不可得忠孝信顺之士。孔穿执白马以求马，止可得白马，而不可以得黄黑之马。故以为有似。"二说均失之。

公孙龙子悬解二

白马论第二

《跡府》篇公孙自云:“龙之所以为名者，乃以白马之论耳。”又尝持以度关及与孔穿、邹衍诸人论辩，足知本论为公孙学说最重要部分。通篇以“白马非马”命题，初视之似涉奇诡，然理殊易明。吾前已云:“马为周延，白马为不周延，两辞之范围不同。”兹再申演其旨：周延者，名辞包含所言事物之全体者也。如本论所称之马，能包括一切马类之外延全体，故为周延。白马为马之色白者，在众马之中只占一类。除是而外，尚有其他各类之马，白马莫能容焉，故为不周延。辞类既各相别，即不能以异类之物而均等视之，白马之非马明矣。又逻辑学中有所谓关门捉贼法者，今以其式演如下图：以马为大圆，白马为小圆，即见以大容小，证白马在马之中，莫能自外；而马舍容白马外，尚有余地以容他物。其范围大小之不同，已可概见。再变如下图：以白马自身为一圆，其圆外为一大圆，即前图之所谓马者。今既与白马相界，当然为非白马矣。 此非白马者既为马，故曰白马非马。如斯证之，初非难解。篇中设为宾主问答之，与《通变》《坚白》二篇义法略同。此盖肇之《公》《穀》，章学诚所谓从质而假者也。参看《文史通义·匡谬》篇。又当本论问世之时，各宗大师每起非难。参看《叙录》。《庄子·齐物论》曰“以马喻马之非马，不若以非马喻马之非马也”，即对此而发，其言尤辩。近人章太炎以唯识之恉释之，多所发明。兹录于后，学者比以观之，可知本论当时所发生之影响焉。

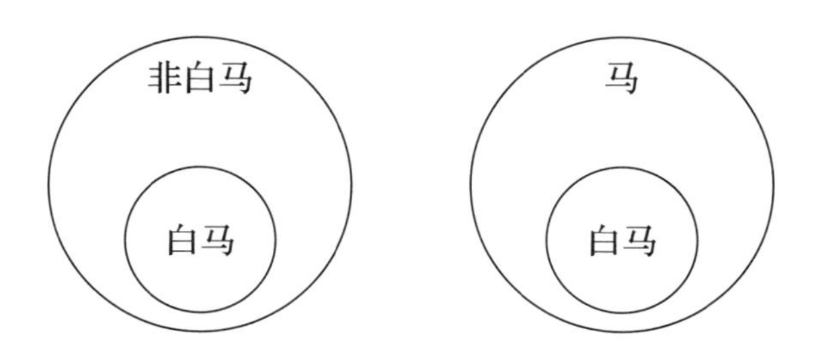

按：本篇亦与《墨经》论旨未能尽合。参看《叙录》。附章太炎《齐物论释》一节：《白马论》云：“马者所以命形也，白者所以命色也；命色者非命形也，故曰白马非马。”庄生则云：“以马喻白马之非马，不若以非马喻白马之非马。”所以者何？马非所以命形。形者何邪？惟是勾股曲直诸线种种相状，视觉所得，其界止此。初非于此形色之外，别有马觉意想分别，方名为马。马为计生之增语，而非拟形之法言。专取现量，真马与石形如马者等无差别。而云马以命形，此何所据？然则命马为马，亦且越出现量以外，则白马与马之争绝矣，此皆所谓“莫若以明”也。……假令云：“马者所以命有情，白者所以命显色；命显色者非命有情，故曰白马非马。”庄生其奚以破之邪？应之曰：此亦易破。锯解马体，后施研捣，犹故是有情否？此有情马本是地水火风种种微尘集合，云何可说为有情？若云地水火风亦是有情者；诸有情数合为一有情数，虽说为马，惟是假名，此则马亦非马也。

“白马非马”，可乎？

曰：可。

曰：何哉？

曰：马者所以命形也，白者所以命色也；命色者非命形也，故曰“白马非马”。

《广雅释诂》：“命，名也。”“命形”“命色”二句，《跡府》篇“命”均作名。此节以形、色二端辩白马非马。言马之一辞，所以名其形；白之一辞，所以名其色。彼形此色，类别不同，故曰：“白马非马。”

曰：有白马不可谓无马也。不可谓无马者，非马也。有白马，为有白马之非马，何也？

此宾难之辞。言白马亦属马类，有白马，不能以其白也而谓之无马。然此不能谓为无马之白马，即前所谓非马者也。夫既明有白马矣；其所有之白马，乃为非马类之白马，抑又何故？俞荫甫曰："'非马也'，当作'非马邪'，古'也''邪'通用。言有白马，不可谓无马，既不可谓无马，岂非马邪？"意与谢释相同，亦可通。

"为有白马之非马"，"白马"，《道藏》本及陈本均作"马白"。

曰：求马，黄黑马皆可致。求白马，黄黑马不可致。使白马乃马也，是所求一也；所求一者，白者不异马也。所求不异，如黄黑马有可有不可，何也？可与不可，其相非明。故黄黑马一也，而可以应有马，而不可以应有白马；是白马之非马，审矣。

马为共名，群色之马含焉。求共名之马，不计马色，黄黑诸马皆可入选。白马为别名，单指马之色白者而言。求白马，非合所求之色，只以黄黑诸马应之，无当也。果如宾言，以白马为马，是求白马，即是求马，所求一也。其所以为一者，以前云白马无异于马故也。由是而推，黄黑诸马皆可以不异之故，于焉求马，于焉求白马。无如有可有不可，何也？黄黑诸马虽同属马类，然与白马有别；可以应有马，不可应有白马，其间相非之际，昭然甚明。而白马与马，因其能应不能应之故，亦可证其相非矣。“而可以应有马”句，“而”字疑衍文。

曰：以马之有色为非马，天下非有无色之马也。天下无马，可乎？

白者所以命色，既云“白马非马”，是以马之有色者为非马矣。天下无无色之马，遂谓天下无马可乎？此段宾再诘难。

曰：马固有色，故有白马。使马无色，如有马而已耳，安取白马？故白者非马也。白马者，马与白也。马与白马也，故曰：“白马非马也。”

“固”，疑为因；“如”，当为“知”，字体相近，传写讹夺。谢希深训“如”为“而”，失之。此主答宾难。上段理顺易解。“白马者，马与白也。”按白者所以命色，马者所以命形，所谓白马，兼指色形而言；一为白，一为马，合二成辞；与单纯命形之马，其构成之质量不同；故白马非马也。俞荫甫曰：“‘白马者，马与白也，马与白马也。’此两句中各包一句：其曰马与白也，则亦可曰白与马也；其曰马与白马也，则亦可曰白马与马也。总之，离白与马言之也。”照俞说推释，词旨重复，绝无意义。其“马与白马也”一句，上下当有讹误，或为错简。但就前句释之，尚未失其旨趣也。

“马固有色”，原文鄙注：疑“固”为“因”。丁鼎丞先生曰：“确是‘固’字。”细绎原句语意，其说甚正，应从补正。

“如有马而已耳”，《道藏》及守山阁本作“有马如已耳”。陈本作“则有马如已耳”。案：本书谢希深注：“如，而也。”绎其词意，谢所据本当如《道藏》各本，作“有马如已耳”。若如本文，则谢注义不可通。此当依《道藏》及守山阁本订正。原文鄙注：疑“如”为“知”，误也。

曰：马未与白为马，白未与马为白。合马与白，复名白马。是相与以不相与为名，未可。故曰：“白马非马未可。”

宾又述主意难之。俞荫甫曰:"'未可',犹言不可。'复名',谓兼名也。《荀子·正名》篇:'单足以喻则单,单不足以喻则兼。'杨倞注曰:'单,物之单名也。兼,复名也。''复名白马',正所谓'单不足以喻则兼'也。合马与白,则单言之曰马,不足以尽之,故兼名之曰白马,是谓'复名白马',犹今言双名矣。"按俞说甚审。此言马初不与白为马,白初不与马为白;马自马,白自白,其名为二,各不相与。今竟以此不相与之名物而相与之,兼名白马,于名未安。且白之与马既不相与,去白马之白,亦马焉耳,安得谓白马非马?

曰:以有白马为有马,谓有白马为有黄马,可乎?

曰:未可。

曰:以有马为异有黄马,是异黄马于马也。异黄马于马,是以黄马为非马。以黄马为非马,而以白马为有马——此飞者入池,而棺槨异处——此天下之悖言乱辞也。

此段以黄马非马证白马非马,迭为宾主问答之辞。中间"以有马为异有黄马"句,其"有马"二字,遥指上文"以有白马为有马"之有马而言,取辞甚巧。意谓既以有白马为有马,复以有黄马异于有白马，是以有黄马为异于有马也，亦即异黄马于马也。异黄马于马，故以黄马为非马；其于同含色性之白马亦当认为非马，于理方顺。今则于色之黄者目为非马，于色之白者反目为有马，是背乎常道矣。犹飞者本应上翔而乃下潜入池，棺槨本应相依而乃异地分处，所谓悖言乱辞者也。按“飞者入池”、“棺槨异处”二句，取其与道相反之意。谢释多凿，不可从。又“此飞者入池，…… 此天下之悖言乱辞也”，连用“此”字，系古人语词叠用之例，似复而实非复。参看俞荫甫《古书疑义举例》四卷。

“以有白马为有马”，下一“有”字，陈本作“非”。注云：“非当作有，字之误也。”按：《道藏》及守山阁诸本均作“有”。

曰：有白马不可谓无马者，离白之谓也。是离者，有白马不可谓有马也。故所以为有马者，独以马为有马耳，非以白马为有马。故其为有马也，不可以谓“马马”也。

俞荫甫曰：“‘不可谓有马也’句，‘有马’当作‘无马’，涉下文三言有马而误耳。此即承上‘不可谓无马’而言，亦难者之辞。”本段意言：前以有白马为有马者，是离开白色，就马论马。白马既属马类，当以马类而认为有马。是所离者，为有白色之马；其白虽离，其马宛在，不可谓无马也。前言有马，系以马为有马，非以白为有马。其所以如此者，若以马为有马，又以白为有马，合言白马，是二有马相加，为马马矣；于理未顺，故须离白证之。谢希深曰："马形马色，坚相连属，便是二马共体，不可谓之马马，故连称白马。"俞荫甫曰："此论马不马，不论白不白。若必以白者为非马，则白者何物乎？白即附于马，不可分别。故见白马，止可谓之有马而已。不然，白马一马，马又一马，一马而二之，是马马矣。"按：谢、俞二说，义旨相近，录备别证。又此段与下段，文中连用"故"字，亦前语词叠用法。《鬼谷子·揣、摩》各篇及《礼记》《墨子》，此"故"字叠用之例甚多。

"是离者，有白马不可谓有马也"，"是"，《道藏》及守山阁本、陈本均作"不"。陈注："客言离白则有白马，不可谓无马矣。离白既可谓有马，则不离岂不可谓有马邪？""也"读为"邪"。

案：前云有白马不可谓无马者，乃离白而言之。白马为物，两不可离。既以有马，为不可谓无马；而与白不可分离之白马，宁不能谓为有马耶？如此释之，似较陈说稍进，而"不离"二字，义亦可通。

曰：白者不定所白，忘之而可也。白马者，言白定所白也。定所白者，非白也。马者，无去取于色，故黄黑皆所以应。白马者，有去取于色，黄黑马皆所以色去，故唯白马独可以应耳。无去者，非有去也，故曰“白马非马”。

此主答宾难，以色之去取辨白马非马。言白不能定其所白之物，即可置诸勿论。既言白马，是明明以白定马；今离色言马，则所以定马者非白也，理不可通。马之为词，义本朴素，于色无所去取，以黄马应可也，以黑马应可也。惟言白马，是标马以白，非白马不能应之，黄黑诸马皆以色之不合而去焉。故马之于色为无去，白马于色为有去；无去者非有去，白马非马明矣。“定所白者非白也”句，文义上下不完，似有漏误。又“故黄黑皆所以应”，证以下文“黄黑马皆所以色去”，“黄黑”下疑有“马”字。

公孙龙子悬解三

指物论第三

谢希深曰："相指者，相是非也。"通篇以此释文，去题万里。胡适之以"指"作物体之表德解，如形色等等。见所著《惠施、公孙龙之哲学》及《中国哲学史大纲》第八篇第五章。核于全篇语意，亦多未合。章太炎释"指"为识，释"物"为境，见所著《齐物论释》。摭引相宗之义，比附其旨，反更幽眇。窃意疏解古籍，适如其原分而止。深者固不能浅尝，浅者亦不必深绎，求能忠实而已。今按"指"字，当作常义之"指定"解，即指而谓之；如某也山，某也水，其被指之山水，标题所谓"物"者是也。执此以绳，全篇砉解。《墨子·经下》："有指于二，而不可逃。"《经说》："指，谓。"据梁任公校释本。言指者谓也，与此可通。又《庄子·天下》篇引惠施与辩者非难之说，谓"指不至，至不绝"。参看《叙录》。其"指"字，亦指而谓之之意。以指者，心理及行为上之事，其质为虚。如指谓某物，不能逼入物之本体而得其真，但以言语或动作代表之而已，故曰："指不至。”即使指而能至，如以手指物，逼及其体矣。而所以造成此体者，其真微之处终不能绝。绝者，断也。言即究竟指之，层层间隔，终无断绝完了之时也。就上数说，诸大师各就“指”字定义特下解释，必在当时曾为论坛上之辩难问题。《庄子·齐物论》曰：“以指喻指之非指，不若以非指喻指之非指也。”细绎其义，即为本论所生之反动，参看《叙录》。确无可疑者。惜简编残缺，未能详得当时论难之盛，为可惜耳。

物莫非指，而指非指。天下无指，物无可以谓物。非指者天下，而物可谓指乎？

一切事务，胥由指定而来，指此物谓树，则树矣；指彼物为石，则石矣。在树石自身，虽不待人指定始有树石，然若无人，又安知有树石？树石而不经人指定，又安得为树石？故曰：“物莫非指。”但此项指定，系属“物”之一种抽象，非彼指者真体，故曰：“指非指。”天下之物，若不经人指定，则所谓物者几无可以为物；树初不树，亦青青者耳；石亦不石，只巉然者耳。然既不能以指而体真，即不能以指而当物，故“非指”之义实遍天下之物。

质言之，凡指定某物，即心目中之某物托诸言辞，出诸形容，以名某物，以相某物，岂可以此言语形容者为某物之真乎？故曰："而物可谓指乎？"次句上一"指"字为指物者，下一"指"字为被指者。《春秋公羊传》"伐者为客，伐者为主"，上伐者指伐人者，下伐者指被伐者，与此义法正同。俞荫甫曰："'天下而物'，当作'天下无物'，字之误也。言我所谓非指者，天地之初，有牛而无牛之名，则是无牛也；有马而无马之名，则是无马也。俄而指之曰：此牛也；俄而指之曰：此马也。天下本无此物，而我强为此名，是强物以从我之指也，其可谓乎？其不可谓乎？"按：俞说非审。"天下"二字当连上读为"非指者天下"，与《坚白论》"离也者天下"同一句法，意言"非指者"天下之物所共，"离也者"亦天下之坚白所共也，并无误字。若如俞说，即使本篇改而能解，《坚白》篇又是何字之误耶？

指也者，天下之所无也；物也者，天下之所有也。以天下之所有为天下之所无，未可。

此申明上文不能以指当物之义。言指也者，言语形容之事，无实可捉，故为天下所无。物也者，有体积色相可寻，故为天下所有。若以指当物，是以天下之所有为天下之所无，于义未通。

天下无指，而物不可谓指也；不可谓指者，非指也；非指者，物莫非指也。

此再回申前旨。以天下之所以无指者，因指由物生；物既不可谓指，则指成虚空，曷得有指？而物之所以不可谓指者，实由指自为指，物自为物，物实非指，宁能等观？然此非指之物，从真理诠之，固如上义；从方便言之，则天下之物皆由指定而生，又曷莫非指耶？

天下无指而物不可谓指者，非有非指也。非有非指者，物莫非指也。物莫非指者而指非指也。

物由指生，虽不可谓物即指，但未有不由指定能自成名之物，故曰："非有非指。"余义详前。俞荫甫曰："有非即有是，使有指之而非者，即有指之而是者也。今天下之物，任人之所指而不辞，牛则牛矣，马则马矣，是非有非指也。非有非指，安有是指？"按：俞说别为新诠，可备参考。末句"而指非指也”，上下文义不完，疑有讹夺。

天下无指者，生于物之各有名，不为指也。不为指而谓之指，是兼不为指。以“有不为指”之“无不为指”，未可。

物各有名，名丽于实，其汇繁多，皆有所以成此物者之存在，非空洞之所谓“指”者可比，故曰：“物各有名，不为指也。”盈天下者皆物，物既非指，而天下无指矣，故曰：“天下无指。”惟由前说，物既不为指，而又以物由指定而来而谓之指，是以指而兼不为指矣。同一物也，一方为有不为指，一方为无不为指，于理未可；反证不能以指当物之义。末句“有不为指者”，物各有名不为指也。“无不为指者”，物莫非指也。俞荫甫曰：“‘是兼不为指’，‘兼’乃‘无’字之误。天下之物本不为指，而人谓之指，是无不为指矣。下文云：以有不为指之无不为指，未可。’‘有不为指’即承此‘不为指’而言，‘无不为指’即承此‘无不为指’而言。谓以有不为指之物，变而之于无不为指，是不可也。‘无’与‘兼’相似而误。上文云：‘指也者，天下之所无也。’下文云：‘且指者，天下之所兼。’‘兼’亦‘无’字之误。”按：俞说非是。本书屡用‘兼’义。《坚白论》云：“物白焉，不定其所白，物坚焉，不定其所坚；不定者兼。”又曰：“坚未与石为坚，而兼未与物为据俞说校改。坚。”其旨相同。即如常义兼并合一之谓。计本段言“兼”，所兼者为“指”与“不为指”。彼篇言“兼”，前为两项“不定”，后为“未为石为坚”及“未与物为坚”。两相参证，字训自明，并无讹字，不须改也。末句“以有不为指，之无不为指”，“之”字，谢释“适也”，俞说略同。按此应作与解，义详《经传释词》。意犹同也。言有不为指与无不为指相合，未可。回应上文“兼”字之意。

且指者天下之所兼。天下无指者，物不可谓无指也。不可谓无指者，非有非指也。非有非指者，物莫非指，指非非指也，指与物非指也。

本段“兼”字，俞荫甫亦校为“无”字之误，俱详上文。物物既由指定而生，即物物各兼一指，物尽天下，而指为天下所兼矣。中段与前文意复。“指非非指者”，以既对于物而有所指定，即不能以指为非而否认之。言“指非非指”，犹云指即是指也。但以此指与物相印，则所指之物实非此指，故曰："指与物非指。"

使天下无物，谁径谓非指？天下无物，谁径谓指？天下有指无物指，谁径谓非指？径谓无物非指？

此言指由物生，使天下无物可指，安有指与非指之称？若有指而无物可指，则指之作用失所凭借，又安有"非指"与"无物非指"之号？可知指之属性与物为相对的，非绝对的。

且夫指固自为非指，奚待于物而乃与为指？

"奚"，《周礼·天官·序官》"奚三百"，注："古者从坐男女，没入县官为奴，其少才知以为奚。"又《春官·序官》"奚四人"，注："女奴也，以奚为之。"此言"奚"者，取隶属之意。以必隶属有待于物，而后生指，于无物之初，指本无著，固为非指也。大抵指之于物，犹响之应声，声绝响断，物亡指失，响之奚待于声，犹指之奚待于物也。推演至此，已几乎玄矣。虽然，未尽也。知指之有待于物，悟指为虚；不知物之有待于识，即物亦假。展转探颐，深妙离言，假谓现识，似彼相现。丁大法之未东，未脱离三界，惜哉！

使天下无物，“物”下，《道藏》及守山阁本、陈本均有“指”字。

附陈注《指物》篇：

案：陈兰甫释注此篇，为主客问辩之义，词旨益觉了然。兹录原文于后，以资参证。陈氏所释指义，颇与鄙说不同，仍未敢苟同。原稿注凡二篇，字句微异。盖当时两存之，而未写定。汪兆镛君斠刻此书，即用改本。并仿《欧阳文忠公集》例，将初本并录于后，今仍之。

物莫非指，而指非指。人以手指指物，物皆是指，而手指非指。此主之言也。天下无指，物无可以谓物。非指者天下，而物可谓指乎？客言使天下无可指之物，则无可以谓之物者矣。今既云物莫非指，则天下有物矣。既谓物，岂又可谓之指乎？“非指者”上当脱莫字。一作：主所谓“指非指”者何也？在天下者物也。岂可谓之指而反以指为非指乎？指也者，天下之所无也；物也者，天下之所有也。以天下之所有，为天下之所无，未可。此亦客之言也。天下无指，而物不可谓指也；不可谓指者，非指也？主言：客以为天下无指，而物不可谓之指。然既云此物不可谓指，即已指其物而言之矣。此岂非指邪？“非指也”之“也”，读为邪。非指者，物莫非指也。然则就如客之说，以物为非指，愈足以见物莫非指也。一作：然则我所谓指非指者，正以物莫非指，故指非指也。天下无指，而物不可谓指者，非有非指也。非有非指者，物莫非指也。物莫非指者，而指非指也。又言：客以为天下无指，而物不可谓之指。然天下亦非有物，名为非指者也。既非有物，名为非指者，愈足以见物莫非指矣。物莫非指，则指非指矣。一本：以上主之言也。天下无指者，生于物之各有名，不为指也。不为指而谓之指，是兼不为指。以有不为指，之无不为指，未可。客言：吾谓天下无指者，其说由于天下之物各有其名，而不名为指也。不名为指而乃谓之指，则有指之名，又有其本名，则一物兼二名矣。夫物各有本名，不名为指而以为无不为指，未可也。且指者，天下之所兼。天下无指者，物不可谓无指也。不可谓无指者，非有非指也。非有非指者，物莫非指。主言指之名本众物之所兼也。如客所言，谓天下无指则可，若谓物无指则不可。其所以不可者，以天下非有物名为非指者也。既无名为非指者，则物莫非指矣。指非非指也，指与物非指也。指本是指，非非指也。然以指指于物，则指属于物，而指非指矣。一本“与”当作“于”。使天下无物指，谁径谓非指？天下无物，谁径谓指？天下有指无物指，谁径谓非指？径谓无物非指？设使天下无物可指，则指不属于物，谁谓指非指乎？然使天下无物，则指无可指，何以谓指为指乎？使天下虽有指而无物可指，则指不属于物，谁谓指非指乎？谁谓物莫非指，而无物非指者乎？且夫指固自为非指，奚待于物，而乃与为指？又言指本可不名为指也。所以名为指者，因其能指物也。是必待有物可指，而乃与之名为指矣。然何必待有物可指而与之名为指哉？言不若即其无可指之时，而不与之名为指也；是则指非指也。一作“又言指固自为非指；所以名为指者，待有物可指而名之为指也”。然何必待有物可指而始名之为指哉？其意以为不如任其无物可指，而不名为指之为得也。

公孙龙子悬解四

通变论第四

本篇撢究变化之谊，而明其所通，故名“通变”。原文讹夺过甚，胡适谓已经后人窜改，须与《墨子·经下、经说下》参看。见所著《中国哲学史大纲》及《惠施、公孙龙之哲学》。按篇中辞句暨所用字训，固与《墨经》多相吻合；参看《叙录》。但造论主旨则大相背反。兹分别说明于下：

（甲）本篇主旨在开首之“二无一”一义。以下分引多证：先以左右为二，明其无一。次以羊牛为二，明其非马，即无一也。再次以牛羊为二，明其非鸡，亦即无一也。又次以青白鸟为二，非黄；白青为二，非碧；均同上义。通篇抱定此旨，递次释之，眉目显然。其所用推证之原则有二：

（一）变非变。此在原文，为“变非不变可乎？曰可”。从俞荫甫说，改为“变非变可乎？曰可”。参看本文。言一切事物虽变而不变。二不变，故无一，牛羊不变，故非马，青白不变，故非黄；其他“非鸡”“非碧”诸义，以是释之，奏刀砉然。然变何以不变？公孙曾引左右变只之义证之。今按物质不灭定律：一物体之消灭，仅变换形式，其原质仍在。若炭质焚化，可谓变矣。然焚化之后，仍与空气中之氧素化合，成为炭酸气体。此炭酸气体之原有炭质数量依然如故，不加增减，是虽变而不变也。故物体之变者在其形式，而不变者在其原质。公孙之“变非变”一词，第一“变”字作指形式而言，第二“变”字作指原质而言。求诸物理，初无难义。证以本篇之“二无一”：有水乳于此，初为二物，举而相投，由形式观之，似一体矣，亦可谓变矣。然就此混合之体析分原质，则水自水，乳自乳，仍复为二，非能纯粹合一，亦并非真变。故“二无一”一义，必以“变非变”之原则证之，乃能彻底也。

（二）明类。“类”之意义，《墨经》曰：“同：重，体，合，类。”“异：二，不体，不合，不类。”据毕秋帆说校改。言类者同也，不类者异也。《墨经》之求同求异，尚有重、体、合各项。公孙本篇则专重于“类”。 如“羊合牛，非马”；“牛合羊，非鸡”；“青以白，非黄”；“白以青，非碧”，皆以不类求异。更以其异，而证二与一异。进以二与一异，以明二无一之旨。与前项之“变不变”，同为本篇论旨之干脉，并行不悖。《墨子·大取》篇云：“夫言以类行者也，立言而不明于其类，则必困矣。”殆此项“类”之观念，在名、墨两宗皆特为注重：而于辩论析理之术，尤为最要法门也。按:《庄子·齐物论》曰:“今且有言于此，不知其与是类乎，其与是不类乎。类与不类，相与为类，则与彼无以异矣。”是以类与不类，全无差别。其名家之主张，非明类无以辨是非。此则以类无可明，是非莫辨。盖两宗之学派精神根本不同，此尤其反动之表现者也（参看《叙录》)。

（乙）由上说，本篇之论旨即为“二无一”矣。反之《墨经》则云:“体：分于兼也。”《经说》“体：若二之一，尺之端也。”“兼”指总体，“体”指部份，二者一之兼，一者二之体。若尺然：其两端体也，合两端而为尺，则兼也。按:“尺”字，梁任公释当几何学之线，“端”当其点，似为未审。“端”，应作尺之首端解。《经上》“端:体之无厚，而最前者也。”物之首端，方有最前之可言，点不必最前也。又《经说》:“端：是无间也。”《经上》解有间曰:“有间，中也。”既以有间为中，若将端作点，中亦有点，是端亦有间矣。今明言端为无间，苟非指物之首端，何为无间乎?

是如《墨经》立论:以“兼”为二，“体”为一，又以体分于兼，则二有一矣。与公孙之说适成反对。

右上甲乙二端，系指其造论主旨不同之处。至篇中所用辞句字训，即或与墨偶合；此另关于名、墨两宗之渊源，与前项不同，义更有间，可参看《叙录》。

曰：二有一乎？
曰：二无一。

任何二物，无真纯合一之结果，故曰："二无一。"义详前文。或以"二"为两一之复名，二之中何尝无一 ？但此"一"字，公孙本意系指两物合一之"一"而言。如下文"羊合牛非马"、"青以白非黄"诸义可证，非如或言。

曰：二有右乎？
曰：二无右。
曰：二有左乎？
曰：二无左。

"二"为双数。譬如二物：此一物之右，非彼一物之右；彼一物之左，非此一物之左。分言之，二物各有左右；合言之，左右无可定；故曰：二无左右。

曰：右可谓二乎？

曰：不可。

曰：左可谓二乎？

曰：不可。

曰：左与右可谓二乎？

曰：可。

二既无右，则右不可谓二。二又无左，左亦不可谓二。合左与右，叠单成双，谓之为二，方当其分。

曰：谓变非不变，可乎？

曰：可。

俞荫甫曰："既谓之变，则非不变可知，此又何足问耶？疑'不'字衍文也。本作'谓变非变可乎？曰：'可'。下文'羊合牛非马'、'牛合羊非鸡'、'青以白非黄'、'白以青非碧'，皆申明'变非变'之义。"按：与说甚审，应从校改。

"曰：谓变非不变，可乎"，《道藏》本及守山阁、三槐堂诸本均有"谓"字，陈本无。案：以有"谓"字为是。

曰：右有与，可谓变乎？

曰：可。

曰：变只。

曰：右。

曰：右苟变，安可谓右？苟不变，安可谓变？

此段意言设一物右端，与他物相合，体量虽变，而地位不变，仍当谓之为右。如下图说：

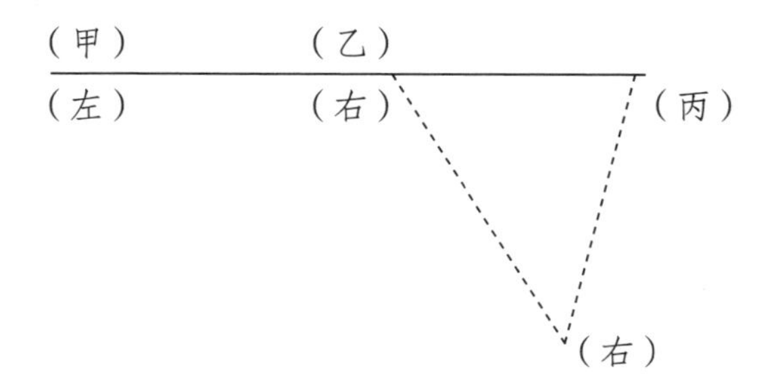

以线为譬，从甲至乙，为原有之线。甲左乙右，地位早定。从乙至丙，为新添之线。并接一条。（即本篇所谓“右有与”而“变只”者。）再从全线观之，甲仍为左；乙丙一段，虽经变合，其位置在全线上，仍为右也。“右有与”谓物之右端，与他物相合。“只”者，单也，谓变而为一也。俞荫甫曰：“‘变只’无义，

‘只’疑‘奚’字之误。‘变奚’者，问辞也，犹言当变何物也。问者之意，以为右而变，则当为左矣；乃仍答之曰：‘右。’此可证明上文‘变非变’之义。”按：“只”字，为“右有与”所变之量，必变而仍合为一，方定为左。“只”者，一也；若无此量为准，而任变为他项方式,或不成其为右矣。但俞说改“只”为“奚”，绳与上下文气亦极凑合。未敢确定，两存之。后文更为反诘之辞曰：“右苟变，安可谓右？苟不变，安可谓变？”其下疑有答词，文阙。

“曰：可。曰：变只。曰：右。曰：右苟变，安可谓右？苟不变，安可谓变”，丁鼎丞先生曰：“‘可’下‘曰’字，衍文。‘变只曰右’之‘曰’，作名字解。‘苟不变’上，遗‘曰’字。下文‘不害其方，左右不骊’，即申明‘苟不变，安可谓变’之意。”其说最为精审，应从之。

曰：二苟无左，又无右，二者左与右奈何？

此段接前文“二有右乎？曰：二无右。二有左乎？曰：二无左”。语意为反诘之辞。下文阐明牛、羊、马变化之事曰：“若左右犹是举。”即所以遥应本文，同证“二无一”之旨。

“曰：二苟无左”，《道藏》及守山、三槐诸本均有“苟”字，陈本无。案：以《道藏》诸本为长。

羊合牛非马，牛合羊非鸡。
曰：何哉？

后文二节，一释“羊合牛非马”，一释“牛合羊非鸡”。

曰：羊与牛唯异，羊有齿，牛无齿；而牛之非羊也、羊之非牛也，未可。是不俱有，而或类焉。羊有角，牛有角；牛之而羊也、羊之而牛也，未可。是俱有而类之不同也。羊、牛有角，马无角；马有尾，羊、牛无尾。故曰：“羊合牛非马也。”

“唯”，通虽，见《迹府》篇。“而牛之非羊也，羊之非牛也”，一本作“而羊牛之非羊也，之非牛也”。《子汇》本及钱熙祚本，并作“而羊之非羊也，牛之非牛也”。孙诒让校如本文。参看《札迻》卷六。此段释“羊合牛非马”。以“羊与牛虽异”，但以羊之有齿、牛之无齿为羊牛相左之征，则不可。因齿不俱有，而类或同焉。更以羊之有角、牛之有角为羊牛相同之征，亦不可。因角虽俱有，而类或不同焉。物各有类，即类求别。羊牛有角，马无角；马有尾，羊牛无尾。凡羊牛之所有者，马或无之；马之所有者，羊牛或无之。互有盈朒，于以别类，故曰："羊合牛非马。"按：就原文含意，似作上解，细绎之，多与事实不符。如牛有齿而曰无齿，羊牛有尾而曰无尾，颇费索解。前后理论亦未能凑泊。"类之不同也"句下，似有佚文。段中词句讹夺尚多，今俱不可考。《墨子·经说下》有与此节词句相类之一段，立言精辟，而观察微有不同，录之以资参证，附《墨子·经说下》一节：

狂；牛与马虽异，以牛有齿、马有尾，说牛之非马也，不可。是俱有，不偏有、偏无有。牛之与马不类，用牛有角、马无角，是类不同也。若举牛有齿、马有尾，以为是类之不同也，是狂举也，犹牛有齿、马有尾。或不非牛而非牛也，可；则或非牛，或牛而牛也，可。故曰"牛马非牛也"，未可；"牛马，牛也"，未可。则或可或不可。而曰："牛马，牛也。"有可有不可。（上据梁任公校释本。"虽"，原作"惟"，梁校为"虽"。此二字通用，本篇亦作"惟"字，似可不改；姑仍梁校。）

"而牛之非羊也、羊之非牛也"，《道藏》本作"而羊牛之非羊，之非牛也"。严铁桥校《道藏》本作“而羊之非羊也，牛之非牛也”。陈本与严校同。案：道藏《公孙龙子》为颠字三号，严校亦云从该号录出，而字句各异，容或所据本不同，俟再考正。又细绎全段文句，仍以原文为长。

非马者，无马也。无马者，羊不二，牛不二，而羊牛二。是而羊而牛，非马可也。若举而以是，犹类之不同。若左右，犹是举。

“是而羊而牛”，“而”训“若”，训“与”，俱见《经传释词》。此句上一“而”字应作“若”解，下一“而”字应作“与”解，为古人上下文同字异义之例。参看俞荫甫《古书疑义举例》一卷。释其词为“是若羊与牛”，犹前文“羊合牛”意也。本段意接上文，谓非马之旨，非别有一马，与羊牛并存，明此非彼；乃羊牛之合，结果无马焉。羊一也，原不为二；牛一也，亦不为二；合羊与牛，乃为二数。若因牛羊之合，别为一马，是以二作一矣。一二不同率，于实未符，于理未安，故曰“非马”。“若举而以是”，“举”，《墨经》：“拟实也。”《经说》：“告以之名，举彼实也。”从孙仲容说校改。“若”字疑衍，似涉下文“若左右”句而误。此倒装句法，如言“以是为举”。

“犹类之不同”，“犹”与“由”通，《墨经》与本书屡见。此二句言上举“羊合牛非马”之谊，皆由属类不同之故。末句“若左右犹是举”，意以左右变化诸端，亦同此举。因左右各为一类，合计为二，并此二类，不能得一。盖任何物体相合之结果，其左右仍随之俱在，始终为二。左右既不能合，焉有合成之所谓“一”者之存在？（即前文“二无一”及“变非变”诸义。）亦如羊牛二者之合，不能为一马，类不同故也。《墨子·经说下》“牛不二，马不二，而牛马二；则牛不非牛，马不非马，而牛马非牛非马。无难。”与此段文义互有出入。

牛羊有毛，鸡有羽。谓鸡足一，数足二；二而一，故三。谓牛羊足一，数足四；四而一，故五。羊牛足五，鸡足三，故曰：“牛合羊非鸡。”“非”，有以非鸡也。

“而”训“与”，已见前文。“二而三”，即二与三。“四而一”，即四与一。本段释“牛合羊非鸡”。言牛羊有毛，鸡有羽；毛之与羽，体状各异，其不同者一。鸡足三，牛羊足五，数率相悬，其不同者二。有二不同，故曰“羊合牛非鸡”。鸡足三者，谓鸡有足，此足名也。就而数之，则有足二，此足实也。名一实二，合而成三。牛羊足五，理同此举。《庄子·天下》篇称辩者公孙龙之徒与惠施訾应，有“鸡足三”一条。司马彪注云：“鸡两足，所以行而动也。行由足发，动由神御，鸡虽两足，须神而行，故曰三足。”胡适是之，推言心神之说，以证“臧三耳”、“坚白”诸义。见所著《惠施、公孙龙之哲学》及《中国哲学史大纲》第八篇第五章。按皆非也。梁任公《评胡适之中国哲学史大纲》一文，对胡氏所说已为驳议，但无佐证。章行严以三段法证“鸡三足”之义，为“无鸡一足，一鸡较无鸡多两足，故一鸡三足”。更为说曰：“无鸡一足者，谓未有鸡而一足者也；非谓无鸡为一物，而是物一足也。”见所著《名学他辩》。按亦未审。“鸡三足”一义，公孙当时即为论主之一。此段自译为：“谓鸡足一 ，数足二，二而一，故三。”其意皎然；曷为舍此本人之正解，臆度为心神诸说也。 按：《吕览》载龙有“臧三足”之说，与本篇“鸡三足”义同。参看《事辑》。末句“非有以非鸡也”，前一“非”字指“牛合羊非鸡”之“非”字而言，谓其所非者确有非鸡之实故也。原文词句不完，似有脱佚。

与马以鸡，宁马。材不材，其无以类，审矣。举是谓乱名，是狂举。

“与”，犹“谓”也。《大戴礼·夏小正》传曰：“獭兽祭鱼，其必与之兽，何也？”又《曾子·事父母》篇曰：“不与小之自也。”“与”均作“谓”解，可证。谢希深曰：“马以譬正，鸡以喻乱，故等马与鸡，宁取于马。以马有国用之材，而鸡不材，其为非类审矣。故人君举是不材，而与有材者并位以乱名实，谓之狂举。”按：下文“黄其马也，其与类乎！碧其鸡也，其与暴乎”，与此遥应。“狂举”，亦见《墨经》。孙诒让释云：“举之当者为正，不当者为狂。《经说》通例，凡是者曰正，曰当；非者曰狂，曰乱，曰悖。”章行严曰：“界说，《墨经》谓之举。所界而当，谓之正举。所界不当，谓之狂举。”见所著《章氏墨学》，其说亦审。殆当时名、墨之术语也。参看《叙录》。

“举是谓乱名，是狂举”，《道藏》本与此同。守山阁本及陈本作“举是乱名，是谓狂举”。丁鼎丞先生曰：“‘狂’即‘诳’字。《礼记》‘幼子常示勿诳’，‘诳’，伪也。伪言，犹俗云胡说。‘狂举’，即胡举，谓其不问材不材，一例而举也。”

曰：他辩。

曰：青以白非黄，白以青非碧。

曰：何哉？

曰：青白不相与而相与，反对也。不相邻而相邻，不害其方也。不害其方者反而对，各当其所，若左右不骊。

章行严曰：“他者，第三位之称，意谓备第三物，以明前两物相与之谊，即逻辑之 middle terms 也。”见所著《名学他辨》。按：本篇以“二无一”为主旨，先以左右暨牛羊马鸡诸端证之，此而不足，另以他物为辨，故曰“他辨”。其所指之“他”，即“青以白非黄，白以青非碧也”，章说甚精，但恐非公孙本意。

“以”、“与”声相通。《仪礼·燕礼》“君曰：以我安”，注：“犹与也。”言青与白相合，不能为黄；白与青相合，不能为碧。因青自青，白自白，色质各别，原不相与；不相与而相与之，适成反对，更不能并为黄与碧也。但青白二色，以质求合，固无黄无碧，以位相邻，则于方无害。如下图：

白 （左）	青 （右）

青右白左，各当一方，虽相接邻，而畛域自封，固无所侵害也。“邻”与“与”，字训有差。“邻”者双存，而地位相毗，“与”者合并，而体质羼杂。故

青白二色可以相邻，而不可相与；因相与则彼此反对，相邻则于方无害也。章行严《名学他辩》谓“与”“邻”二字同意，说似未谛，原文见后。末数语申明上文“于方无害”之旨，谓青白二色于相与之时虽属反对，而于相邻之时则各当其位。所以者何？二色相邻，必有左右，左右不骊，其位当矣；当则于方无害。“骊”，谢希深注：“色之杂者也。”孙诒让曰：“‘骊’，并‘丽’之借字，故下文云：‘且青骊乎白，而白不胜也。’谢以为色之杂者，非是。篇内诸‘骊’字，义并同。”按：孙说是也。“丽”，《正韵》“附也”。《易·离卦》：“日月丽乎天，百谷草木丽乎地。”此言“不骊”，为彼此不相附丽之意。若一附丽，便成“相与”，二色反对矣。下文“一于青不可，一于白不可”，即承此意而发。“一”之与“丽”，意本连贯，相一即相丽矣，故曰“不可”。

故一于青不可，一于白不可，恶乎其有黄矣哉？黄其正矣，是正举也，其有君臣之于国焉，故强寿矣。

此段再释“青以白非黄”，接上文言青白二色各当其位。合白而一之于青，其青不纯，不可谓青。合青而一之于白，其白不纯，不可谓白。二色既不能一，乌有第三者所谓“黄”之存在？殆黄之为色，其质精纯，非由他色和合而成，举以拟实，故为正举。下文以碧非正举，为之解曰：“正举者，名实无当，骊色彰焉。”是以碧因骊故，为非正举；可证此以黄为正举，乃由色之纯也。末数语，谢希深曰：“白以喻君，青以喻臣，黄以喻国。”按本段以黄为正举。此言若以其义施诸君臣国家，则名正实举，国家必强而寿。“寿”即国运久长之意，谢释“君寿”，非也。“其有君臣之于国焉”，“其有”二字无解，疑涉上文“其有黄矣”而误。究为何字之讹，已不可考。又章行严《名学他辩》以“他”义释上节及本节旨趣，已于前段略陈所疑；兹再节录原文于左，仍愿读者之自决焉。

附章行严《名学他辩》一节。

公孙龙他辨，又有青白之说曰：“青白（与黄碧）不相与而相与，反对也；不相邻而相邻，不害其方也；不害其方者反而对，各当其所，左右不骊。故一于青不可，一于白不可，恶乎其黄矣哉？黄其正矣，是正举也。”青白黄碧，如甲乙丙丁，乃偶举之符，毫无意义。（第一句青白之下“与黄碧”三字，乃推其文义增之。）曰与曰邻，二词同意。方者方向，亦疑龙图为方形，以相解说。不害其方，谓与所图无牾，而方向之意亦自藏于其中。故曰“左右不骊”。骊者，杂也，乱也，左右不乱，于方向无误，即于图形不背。试拟其图当为：

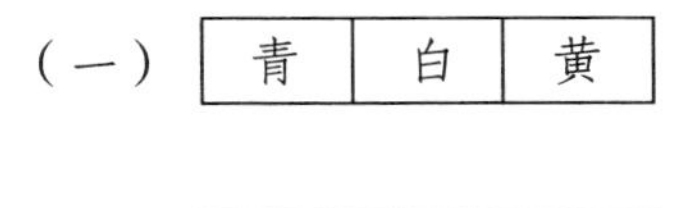

一图青以白非黄，白为他词，居中。二图白以青非碧，青为他词，居中。一图青黄不相与，藉白以相与。二图白碧不相邻，藉青以相邻。青黄白碧分立于两端，反而对，各当其所。各当其所。曰左曰右，知有中义，此其表著他词，皎然以明。一图白毗于青，而黄不毗于青，是一于青不可。二图青毗于白，而碧不毗于白，是一于白不可。黄不一于青，故青非黄。碧不一于白，故白非碧。黄碧皆居负断，故曰恶乎其有黄碧也。但在事实：若青、白也，而白非黄。或白、青也，而青非碧。式为：

（甲）白非黄，青为白，故青非黄。或：

（乙）青为白，白非黄。故黄非青（此须换位）。

皆不悖。白青碧仿此。曰：无黄碧而为正，诚哉正也。惟若以事实论，青非白，而白为黄，或白非青，而青为碧。式为：

（丙）青非白，白为黄，故青非黄。或：

（丁）白非青，白为黄，故青非黄。

皆悖。白青碧仿此。……龙创为青白之说，以证《白马论》，而不知其不足为证，则泥于为方之道也。

"恶乎其有黄矣哉"，《道藏》及守山、三槐诸本均与此同。陈本无"有"字。

而且青骊乎白，而白不胜也。白足之胜矣而不胜，是木贼金也。木贼金者碧，碧则非正举矣。

"白足之胜矣"，孙诒让曰："'之'，当作'以'。"此言白不胜青，青能贼白，若使相骊，则混而成碧，为质已杂，非正举也。青属木，白属金，白不胜青，木贼金故也。此近五行生克说。《墨经》"五行毋常胜"，《经说》杂引火铄金、金靡炭诸事。又《墨子·贵义》篇亦引日者"帝杀黑龙"之说，似墨家一派已启其端。推其渊源，更或远出夏商之世。关于此节，近人梁任公、栾调甫俱有论述，见梁著《阴阳五行说之来历》、栾著《梁任公五行说之商榷》诸篇。

青白不相与，而相与；不相胜，则两明也。争而明，其色碧也。

“争而明”，应作“争而两明”，脱一“两”字，下文“暴则君臣争而两明”，可证。此言青白二质原难相与，强以求合，终成隔膜。且各有其特殊之性，青不化白，白不掩青，两莫能胜，势必青白并彰，各求色之自明，是两明矣。两明而不克相涵，必出于争；结果则无青无白，混而成碧，失二者之真矣。按本段与上段均释“青以白非碧”。大旨以青白自青白，二者相贼两明，乃复成碧。然此碧者非青白浑然化成之色，系相贼两明之一种象征。青白在此象征之中仍复各自为别，保其原素；绝不能以此象征之碧为“青以白”渗变之正当结果；故曰“非碧也。”

与其碧，宁黄。黄，其马也，其与类乎！碧，其鸡也，其与暴乎！

黄为正色，得物质之纯。碧为间色，非白非青，相贼两明。故宁舍碧取黄，以明事务之真，而正名实焉。前以材不材，辨马鸡优劣。此以黄比马，碧比鸡，言黄色纯正，施于名实，犹马之称材，同得其用。故曰:“与类。”碧以间色，有乖名物，犹鸡之不材，均足为害。故曰:“与暴。”

暴则君臣争而两明也。两明者昏不明，非正举也。

此言君臣各有定分，分定名正，竞心自泯。若如上言之两明为暴，裁制力失，荡分踰闲，各求逞私，结果必以争明而转益不明。举以拟实，盖非正举也。按前言黄为正举，能致国强寿，此言碧非正举，能致国昏乱。一正一负，因名实之正否，通利害于国家，可觇公孙立言之旨。参看《叙录》。

非正举者，名实无当，骊色章焉，故曰“两明”也。两明而道丧，其无有以正焉。

此接前言非正举者，如青白两明，混成骊色，失青白之实。实失则名乱，于名实均无所当。夫所以正天下者以名，名牾实乖，所以正之之道疎矣。“章”，明也。“骊色”，犹间色。前释“骊”，借为“丽”，附意。二色相附，乃为间色，间而自明，故曰“两明”。按公孙原意，以实必求真，因实正名，名实各以本来自身之真否定其标准。一切是非即以是项标准为转移。两名者各争其明，自是非人。前言之标准乃无所施其效用，悖名乱实，害莫大焉，故篇末尤惓惓于斯。又按庄生《齐物论》曰："故有儒、墨之是非，以是其所非而非其所是；欲是其所非而非所是，则莫若以明。"又曰："是亦彼也，彼亦是也。彼亦一是非，此亦一是非。果且有彼是乎哉？果且无彼是乎哉？……是亦一无穷，非亦一无穷也。……故曰莫若以明。"此言是非本身原为相对，无绝对之可言。任何方法不能求得是非之准则，故曰："莫若以明。"既不能明，则一听是非之自然，而不加可否，故曰："和之以是非，而休乎天钧，是之谓两行。"庄生之两行，与公孙之两明，其性质不无相类；而一则以两行为正，一则以两明为贼。结果，庄子乃于其观念不同之惠施加以攻击，曰："彼非所明而明之，故以坚白之昧终。"呜呼！施、龙诸子之求明，与其拒绝两明，而信真理之绝对存在，乃不为庄生所许。由此可窥两派主义精神之冲突焉。参看《叙录》。

公孙龙子悬解五

坚白论第五

《庄子·齐物论》“故以坚白之昧终”，司马彪注曰：“公孙龙有淬剑之法，谓之坚白。”崔譔释同。又云：“设矛伐之说为坚，辩白马之名为白。”其解坚白，均失支离。一石之中涵坚与白，自常识视之，坚也白也，合而成石，初无疑意。公孙则言白与石可合，以目察石，而能得白也。坚与石可合，手抚石而能得坚也。坚白石三者不可合，因目得其白，不得其坚，手得其坚，不得其白。目察手抚，前属视觉，后属触觉，共为二事；混而成一，则失其真。复次，以目察石，以手抚石，最初但有简单之感觉，不知为白为坚。继由神经传达于脑，经一度之默证，其得于目者始发生白之观念，得于手者发生坚之观念。此二观念复加联合，方能构成坚白相涵之全石。其事微忽迅速，常人之识，盖于坚白二念联成之后，浑言其全。公孙之论，系于坚白二念未合之初，析言其微，推本还原，义自了然。复次，坚白之义导源《墨经》，门下述之，公孙即为述者之一。惟其论旨则与《墨经》异趣。《经说下》云：

见不见，离；一二不相盈。广修坚白。

抚坚得白，必相盈也。

石一也；坚白二也，而在石。故有知有不知焉，可。子知是，有知是吾所先举，重。则子知是，而不知是吾所先举也，一。以上均依梁任公校本。

归纳上述诸义:《墨经》以坚白同囿于石，虽有知与不知，然于一石之中二者固能相盈也。公孙则以坚白在石，彼此各离：谓之坚石则可，谓之白石亦可，谓之坚白石则不可。是以一石之中二者不能相盈，与《墨经》之旨道成反对。《庄子·天下》篇称“相里勤、五侯之徒、南方之墨者苦获、已齿、邓陵子之属，俱诵《墨经》，而倍谲不同，以坚白同异之辩相訾”。是公孙既言“坚白”，且于篇中迭为辩难之词，与庄子所述不无吻合，当亦在“俱诵《墨经》而倍谲不同”之列。参看《叙录》。更计当时，除《墨经》公孙外，如相里勤、五侯、苦获、已齿、邓陵子诸人，或各有其坚白之论，且言人人殊。所谓“坚白同异”，解者多以“坚白”为一事，“同异”为一事。以余蠡测，或指诸子之言坚白，与《墨经》同异而言。因相里诸人各尊《墨经》为圭臬，其论坚白每以自身之说与《墨经》相“同”，更以他人之说与《墨经》为“异”，自是非人，互相排抵。《韩非子·显学》篇曰：“孔、墨之后，儒分为八，墨离为三，取舍相反不同，而皆自谓真孔、墨。”以彼证此，其迹可见，故曰“以坚白同异之辩相訾”也。吾人推绎至此，可得一附带论证：即近人如胡适之疑《墨经》为公孙龙辈所作，见所著《中国哲学史大纲》。而梁任公以龙等有所附加，是也。见所著《读墨经余记》及《与胡适之书》。使所言果确，必《墨经》与龙之主张能沆瀣一气；今乃时时发现其矛盾之点，公孙非愚，断不另为异己之论，假名《墨经》，或捃缀其意，以自树敌也。故《墨经》一书，谓为公孙以外之人伪托，或尚可信；若谓出自公孙，则于事理违矣。

按：本篇草成后，见《东方杂志》载栾调甫君《梁任公五行说之商榷》一文，言其所著《读墨经校释》论坚白一义有离盈二宗，与余说不谋而合。当时未读栾君原著，不识树义何若。顷见汪馥炎君《坚白盈离辩》，始悉其恉。汪君述栾君之意曰：“坚白为最古之辩论，与后世名家关系甚大。据《庄子·天地》篇，孔子问老聃，曾说‘辩者有言曰，离坚白若县寓’，此言发生，当在墨子以前。盖辩者离坚白，则石之坚与白两者分隔，成为独立，如宇与久然，吾名此一派为离宗。墨子为首先反对离宗者，其意以为坚与白同属于石之内，既无一处不坚，又无一处不白；即是坚无不白，白无不坚；坚与白，相盈而不相外矣。故又立宇久不坚白，坚白无宇久之言。以破辩者‘若县寓’之喻，吾名此一派为盈宗。”按栾君所述，诚为卓识。惟言坚白一义发生在墨子以前，尚属疑问。因《庄子·天地》篇之资料是否可信，亦一问题。测其词意，或系引用当时辩者术语，托之孔、老以申论旨，亦未可定。（按《天地》篇原文云：“夫子问于老聃曰：‘有人治道若相放，可不可，然不然。辩者有言曰，离坚白若县 。’”栾君据此，认孔子之时已有坚白之说。但同书《秋水》篇，公孙龙自云：“合同异，离坚白，然不然，可不可。”与孔子语词略同。是此诸义似为当时辩者之术语。《庄子》一书对名家诸多贬辞，并每捏造事实以炫其辞，如《秋水》篇龙与魏牟问答之语，即属此类。《天地》篇所述，殆与相同，不必坚白之说真出孔子之口也。但未见栾君原著，是否尚有他证，仍不可定，存此待考。）惟所析盈离二义，鞭辟入里，最为确当。又汪馥炎君对此亦曾诠次两家不同之义，共为四项，其言益审。惟第三项仍沿用胡适训“离”为附丽之义；胡氏诠释未当，已见本篇后文，汪君所释，兹亦从略。仅将其余三证附后，用资参考：

公孙龙子之谈坚白，可二而不可三；然墨家则二之三之皆可也。何以龙许言二，而不许言三乎？盖龙以石为主位，而石之或坚或白，又重在独指，是以无论如何举之，得其二而不及三焉。今观其言，一则曰：“无坚得白，其举也二；无白得坚，其举也二。”再则曰：“视不得其所坚，而得其所白者，无坚也；拊不得其所白，而得其所坚者，无白也。”视与拊，仅与石相关，而视、拊不相关；故可曰坚石、白石，而不可曰坚白石。若墨家，则以坚白本相盈，重指之兼与衡，而不重指之独，譬有一物于此，独指其白，而不指坚；但离坚，而白亦不能独传。所指为何？意殊未皎。故就坚白言，则指坚含白，指白含坚，是指一而兼二也。就石言，则指石而含坚白，是指一而衡三也。龙以坚白离，故可二不可三；墨以坚白盈，故曰以二三；此两家盈离不同之辩证一。

公孙龙子之谈坚白，重在以名取。而墨家则以为有所取，必有所去；取为可知可见，去为不可知不可见。然知与见，皆对人而言之，非对物而言之。对人言，“虽不能而不害”。故墨家曰：“智与不智相与可。”对物言，则得其白，得其坚，所得者一，不能两知两见。故公孙龙曰：“知与不知相与杂，见与不见相与藏。”总合两家所论，坚白同为石之物德。在墨家之意，不以人之知见与否，得其一而损其一，是以取名而不害实。在公孙龙之意，则非彼无石，非石无所取；所取者为物之一名，而非能尽物之性。名家以名求胜人，是亦一失。此两家盈离不同之辩证二。

此外更有一证，今本《公孙龙子》原名《守白论》，至唐人作注，始改今名。既曰守白，则言离不言盈，意更可见。

坚白石三，可乎？

曰：不可。

曰：二，可乎？

曰：可。

曰：何哉？

曰：无坚得白，其举也二；无白得坚，其举也二。

目得白而遗坚，举白合石，只有白石，其数二也。手得坚而遗白，举坚合石，只有坚石，其数亦二也。并坚与白，涵之石中，目手不能交得，无坚白石之存在，即不能合名为三。

“二可乎”，《道藏》诸本与此同。陈本作“一”，注云：“一当作二。”

曰：得其所白，不可谓无白；得其所坚，不可谓无坚：而之石也之于然也，非三也？

"之石"，"之"字假借为是。《诗·桃夭》"之子于归"，《尔雅·释训》："之子者，是子也。"又"非三也"，"也"与"耶"通借互用。此节为宾难之词。以坚白同囿于石，既得白矣，于得坚之时虽不同时得白，不可谓之无白。既得坚矣，于得白之时虽不同时得坚，不可谓之无坚。凡上所云，皆此石之实，有以使然。夫既兼有坚白矣，合之于石，宁非三耶？

曰：视不得其所坚而得其所白者，无坚也。拊不得其所白而得其所坚，得其坚也，无白也。

此为答辞。以万汇表德，其接于官觉者，各因所司而示异。以目视石，只能得白，不能得坚，于目视之中固无坚也。以手抚石，只能得坚，不能得白，于手拊之时固无白也。分而求之目手，一坚一白，所得各异；既为异矣，宁能混一？末句"而得其所坚，得其坚也"，证之上文，疑当为"而得其所坚者"。遗一"者"字，衍"得其坚也"四字，涉上句错简。俞荫甫曰:“此当作‘视不得其所坚而得其所白，得其所白者，无坚也。抚不得其所白而得其所坚，得其所坚者，无白也’。文有脱误。”按:俞说窜改过甚，恐失真。

“而得其所坚，得其坚也”，陈本“坚”下有“者”字，无“得其坚也”四字，与原文郾校正同。可证俞说之非。参看郾注原文。

曰:天下无白，不可以视石;天下无坚，不可以谓石。坚白石不相外，藏三可乎?

白为石之色，无色不可以视石。坚为石之质，无坚不可以得石。是坚白石三者绝不相外。今以白石并举，坚石并举，仅及其二，藏其第三者可乎?此节宾再诘难。《墨经》:“坚:相外也。”《经说》:“异处不相盈，相非，同排。是相外也。”此言“不相外”，即彼此相涵不离之意。参看《墨子间诂》本条注及《墨经校释经上》六十二条。

曰:有自藏也，非藏而藏也。

目不见坚而坚藏，手不得白而白藏。是目手各有所限，不能交遍。其藏也，系自然而藏，非故欲藏之始藏也。此节主再答辩。

曰：其白也，其坚也，而石必得以相盛盈。其自藏奈何？

俞荫甫曰："'盛'，衍字也。谢注云：'盈，满也。其白必满于坚石之中，其坚亦满于白石之中，而石必满于坚白之中，故曰："必得以相盈也。"'是其所据本无盛字。"按：俞说是也。《墨经》及本书多言"相盈"，似为当时名、墨术语，此言"相盛盈"，证"盛"字为衍。本节宾再诘难。言白坚二事同涵石内，既得其石，白坚连举；藏无所寄，何由自藏？"盈"有函意。《墨经》："盈：莫不有也。"梁任公释"相盈"为"相函"，义极允当，兹从其释。

曰：得其白，得其坚，见与不见离。不见离，一一不相盈，故离。离也者，藏也。

此节微有讹夺。孙诒让曰："《墨子·经下》篇云：'不可偏去而二。说在见与俱，一与二 。'《经说下》篇云：'见不见，离；一二不相盈。'正与此同。此‘一一不相盈’，亦当依《墨子》作‘一二不相盈’。”按：孙说甚审。俞荫甫曰：“‘不见离’一句，当作‘见不见离一’。盖言得白失坚，得坚失白；有可见之坚，即有不见之白，有可见之白，即有不可见之坚；有见者，有不见者，是见与不见离也。故必合见不见言之，乃不相藏耳。今举其见之一，则离其不见之一；举其不见之一，则离其见之一。是无论见不见，则皆离其一也。离其一，则所有者一而已矣。一则不能相盈，故离也。”近人胡适之斟酌孙、俞两说，校本文如下：

得其白，得其坚，见与不见离。“见”不见离，一二不相盈，故离。离也者，藏也。《中国哲学史大纲》第八篇第五章。

按：原文“见与不见离”下之“不见离”三字，疑涉上文而衍。原文“一”，当如孙校“一二”，但“一”字似不应连上读，拟校如下文：

得其白，得其坚，见与不见离。一二不相盈，故离。离也者，藏也。

此段申详“藏”意。以目得其白，手得其坚，白可见，坚不可见。于目见之时，不能得坚，是与不见离矣。何以故？一二不相盈故。于石一也，坚与白二也，是为一二。由石之一，不能盈有坚白之二，则不得不离；离而不可得见，犹如匿藏，故曰“藏”也。复次，本节“离”字涉义重要，胡适之释作附丽之意，如云：

从前的人把这一节的“离”字解错了。本文明明说“离也者，藏也”。古人的离字本有附丽的意思。《易·彖传》说：“离，丽也。日月丽乎天，百谷草木丽乎土。”《礼记》有“离坐离立，勿参焉”的话。白是所见，坚是所不见，所见与所不见相藏，故可成为‘一’个坚白石。若是二，便不相盈了。所以两者必相离，相离即是相盈，即是相藏。见《惠施、公孙龙之哲学》。《中国哲学史大纲》词略同上。

按“离”字仍当作分离解。胡君释作附丽，似涉《墨经》而误。坚白在石，《墨经》主盈，参看篇首《叙录》。如云：“见不见离；一二不相盈。广修坚白。”“不”字为牒经标题之文，当改移段首。参看《墨经校释》。是以一二相盈，如广修之于方，坚白之于石。既相盈矣，则见与不见之“离”字解作附丽，适协论旨。而公孙之说坚白，与《墨经》相反。义详前。其意以坚白在石，不能相盈；既不能盈，而又以白为可见，坚为不可见，谓其能相附丽，则与论旨冲突矣。故此“离”字在《公孙》本书仍宜解作分离，方与义洽。如云：“一二不相盈，故离。”既不相盈，乃有分离之可言，若相附丽，则曷为不相盈乎？又下文宾反诘曰："坚白域于石，恶乎离？"若所用"离"字不作分离解，则上句域字又如何应照？《白马论篇》云："有白马，不可谓无马者，离白之谓也。是离者有白马，不可谓有马也。"所用"离"字均作分离解。以彼证此，足洞其旨。又《庄子·秋水》篇引公孙龙语曰："龙少学先王之道，长而明仁义之行，合同异，离坚白。"窥其语味，上言"合同异"，下言"离坚白"，以离对合，当为分离之"离"，可断言矣。胡氏解作附丽，牵就下文心神作用之说，参看原文。不识彼端所论，另为别义。详见后。亦非如胡氏所云，殆因误致误也。

曰：石之白，石之坚，见与不见，二与三，若广修而相盈也。其非举乎？

此节宾再诘难。言石白可见，石坚不可见，白石坚石为二，白坚与石为三。若二若三，如广修之相盈也。举以拟实，宁非正举？广宽修长，合成平面。既言平面，不能离广取修，不能离修取广；犹石含坚白，既取此石，即不能舍坚言白，或舍白言坚也。

曰：物白焉，不定其所白；物坚焉，不定其所坚。不定者兼，恶乎其石也？

白为通色，不能以白而定其所白者为何物。坚为通质，不能以坚而定其所坚者为何物。则是白也，坚也，性各不定。兼二不定，而谓其必定，并名其所定者曰石，则根本乖舛矣。安有石为？石既不立，乌知坚白之相盈于中耶？此节主再答辩。“不定者兼”，与《指物》篇“是兼不为指”同一句法，应参看前释。谢解多误，不可从。

“物坚焉，不定其所坚”，《道藏》诸本与此同。陈本“不”上有“而”字。

“恶乎其石也”，“其”，《道藏》、守山阁及陈氏各本均作“甚”。陈兰甫曰：“‘甚’，当作其。”

曰：循石，非彼无石。非石，无所取乎白石。不相离者，固乎然其无已。

“循”，通“楯”。今抚楯字以“循”为之。《汉书李陵传》“数数自循其刀环”，注：“摩顺也。”此节宾又难主。言石由坚白而成，若无坚白，其质已去，以手抚石，石复何有？然因有石故，白始有托，方成白石。设若无石，所托先失，白石何取？准是以谈，坚白与石，彼此相待；无坚白则无石，无石则无坚白，名虽有三，实只一体，故曰："不相离。""不相离者固乎然"，犹言"固然其不相离"。"其无已"三字无解，疑有脱讹。

曰：于石一也，坚白二也，而在于石，故有知焉，有不知焉；有见焉，有不见焉。故知与不知相与离，见与不见相与藏。藏故，孰谓之不离？

既言坚白而同在一石，抚坚可知，抚白不可知，其不知者与知者相离矣。使果不离，曷不同时并知？视白可见，视坚不可见，其不见者与见者相藏矣。使果不藏，曷不同时并见？此节主述坚白互相离藏之理，以答宾难。谢希深曰："坚藏于目，而目不坚，谁谓坚不藏乎？白离于手，不知于白，谁谓白不离乎？"晰理亦允。"藏故"，意言"因藏之故"。

曰：目不能坚，手不能白。不可谓无坚，不可谓无白。其异任也，其无以代也。坚白域于石，恶乎离？

“任”，训“职”，训“用”。“异任”，言手目之职责作用不同，谢释“所在各异”，非也。此节意言目不得坚，手不得白，系以手目之职司各异，不能相代。其实坚白统域一石，虽不同时兼得，然不可因其不能视也谓之无坚，或以其不能抚也谓之无白。此又反驳主言坚白相离之理。

曰：坚未与石为坚，而物兼未与为坚。而坚必坚其不坚。石物而坚，天下未有若坚，而坚藏。

此节释坚藏。俞荫甫曰：“‘物兼未与’，当作‘兼未与物’。此言坚自成其为坚之性耳，非与石为坚也。岂独不与石为坚，兼亦未与物为坚也，而坚必坚。其不坚者，如土本不坚，陶焉则坚；水本不坚，冰焉则坚，如此则其坚见矣。今以石之为物而坚，天下未有坚于此也。坚其坚者，坚转不见，故曰‘坚藏’也。”按：俞说大致允协。原文“天下未有若坚”，意言石本无坚，得坚而坚成，其所以成坚之坚性，不可出示，故曰“未有若坚”，亦即所谓“坚其坚者，坚转不见”之意。俞说“未有坚于此也”，未当。

白固不能自白，恶能白石物乎？若白者必白，则不白物而白焉。黄黑与之然。石其无有，恶取坚白石乎？故离也。离也者因是。

此节释白离。言白而不能自白，即不能白石与物。白而果能自白，则不借他物，可单独自白。若黄若黑，其理同然。如此白既外石而立，天下未有无色而能见之石，则石复何有？又安取于坚白石乎？此以白能自白，证与石相离之理。

力与知果，不若因是。

谢释“果”谓“果决”，非也，按即结果之意。言上述坚藏白离之旨，以智力求之，结果终不外是，不若因其自然之为愈也。“知”，通“智”。

且犹白——以目、以火见。而火不见；则火与目不见，而神见。神不见，而见离。

孙诒让曰：“《墨子·经说下》篇云：‘智以目见，而目以火见，而火不见。’此文亦当作‘且犹白以目见，目以火见，而火不见’。今本脱‘见目’二字，遂不可通。”按：孙说是也。“犹”，通“由”，释见前文。火即光明之意。言白由目见，而目不自见，由光乃见。光不见白，由光而见之目，又何能见？是俱不见矣。若是操其枢者心神，以神见矣。然神之为用，究属空灵，人不能见神也。不可见，故见离；见离，故白离。胡适之以神见解“离”为附丽之意，不知此言神见，仍以神之不见证见之分离。结句词旨甚明，非附丽也。参看前节及胡氏《惠施、公孙龙之哲学》《中国哲学史大纲》。

坚——以手，而手以捶；是捶与手知而不知，而神与不知。神乎，是之谓“离”焉。离也者天下，故独而正。

此节文句不完，疑有挩讹，大旨仍如上文。前述白离，此述坚离。意言坚以手知，手以捶知，捶不知坚，其由捶而知之手，安能知坚？故曰：“捶与手，知而不知。”若是，则神知矣。然神知无形，何由知神？故曰“神与不知”。不知则知离，知离则坚离。统上坚白二义，归知见于神，而神又无从知见，藉证离旨，则所谓离者皆神之作用也。故曰：“神乎，是之谓离焉。”末言上述离旨为天下事物所同，故独以此为正。其云“离也者天下”，句法与《指物论》“非指者天下”相同。谢希深解此多误，不可从。又“神与不知”，“与”字无义，应系语助。《左传》襄二十九年曰：“是盟也，其与几何？”又《越语》曰“如寡人者，安与知耻？”“与”字皆作语助用可证。

公孙龙子悬解六

名实论第六

《墨子·经说上》“所以谓，名也。所谓，实也”，释“名实”之义最当。“名”为名词，所以代表事实，故曰“所以谓”。“实”为事实，所以承当此名之本体，故曰“所谓”。通篇大旨即在正名正实，二者使求相符。明定界说，科律最严。《经说》曰：“名实耦，合也。”公孙造论，殆同此恉。盖不特全书关键，正名家精神之所寄也。参看《叙录》。

天地与其所产者，物也。

《荀子·正名》篇“万物虽众，有时而欲偏举之，故谓之物。物也者，大共名也”，言凡有物质之实，皆得共此名而谓之为物。此以天地之形及其所产者均名为物，亦即此意。

物以物其所物而不过焉，实也。实以实其所实，不旷焉，位也。出其所位，非位；位其所位焉，正也。

所谓物者，名也。凡名某物，与其所名某物之自性相适相符合，而不过分；其某物之自性相，即谓之实。实必有其界限标准，谓具有某种格程，方为某物；其格程所在，即所谓“位”者是也。如炭一氧二为水，此炭一氧二之标准，即水所以别于他物，而取得之位；合其格程，方符水实。故曰：“实以实其所实，不旷焉，位也。”“旷”训“空缺”，即言实必有其所以成实者，审而不旷，用别他物，即实之位焉。得其所位，乃为正举。按“不旷焉”之上，证诸前文“而不过焉”，疑“不”上有“而”字。

以其所正，正其所不正；疑其所正。

谢释“疑”，谓众皆疑之。俞荫甫云：“当读如《诗》‘靡所止疑’之‘疑’。《毛传》曰：‘疑，定也’。”按：谢释非是。俞训“疑”为定，合上文之意，则成“以其所正，定其所正”，适犯合掌。近人胡适之于“疑其所正”之上加“不以其所不正”六字。释云：“旧脱此六，马骕《绎史》本有‘以其所不正’五字。今按《经说下》云：‘夫名以所知，正所不知；不以所不知，疑所明。’据此，似当作‘不以其不正’。”见所著《惠施、公孙龙之哲学》。其说最审。

据以补正，文义自了。

“以其所正，正其所不正；疑其所正”，陈本“以其所正”下，有“以其所不正”五字，与马氏《绎》正同。参看鄙注原文。案：本书谢希深注“以正正于不正，则不正者皆正。以不正乱于正，则众皆疑之”，似谢氏原本有此一句所云“以不正乱于正”，即指是言也。胡适之校此句，作“不以其不正”。参看鄙注原文。所据《墨经》原文与此词句微别。仅以谊旨相连，为此疑似之说，终不如马、陈二本之确。应据此订补。

其“正”者，正其所实也；正其所实者，正其名也。

正之标准，由实而定，其实既正，名亦随之。故曰：“正其所实者，正其名也。”

其“名”正，则唯乎其彼此焉。谓彼而彼不唯乎彼，则彼谓不行。谓此而行不唯乎此，则此谓不行。

“唯”，《广雅释诂》一“磨也”，谢释“应辞”。《经说下》“惟是，当牛马”，“惟”通“唯”，与此均取相应之意。“行”，《墨经》“为也”。“彼不唯乎彼”上一“彼”字，证下文“行不唯乎此”，疑为“行”字之误。本节意言其名既正，皆能如其实之彼此而相应之。若名定为彼而行不应彼，则所谓彼者仍为未行。名定为此而行不应此，则所谓此者亦为未行。《墨经》曰“名实合为”，言名实相合，乃为真为。参看《叙录》。又《经说下》:“惟：谓是虎，可；而狗之非夫虎也；谓彼是是也，不可。谓者惟乎其谓。彼狗惟乎其谓，则吾谓行，彼若不惟其谓，则不行也。”依梁任公校本。与此文义出入，可参看。

其以当不当也，不当而乱也。

俞荫甫曰:“此本作‘不当而当乱也’，传写脱‘当’字。下文云‘以当而当正也’，两文相对。”按：俞说非也。下文“以当而当正”，后一“当”字乃为衍文。此仍作“不当而乱”。言上述论旨皆以当与不当之故定其标准，如有不当，则乱矣。若俞说加一“当”字，适成叠床，殊无是处。《经说上》“当牛非马”，又云“当马非马”，《经说下》“唯是当牛马”。孙氏《间诂》云:“公孙龙子亦有唯当之论，与此义同。”可统前节参看之。

故彼，彼当乎彼，则唯乎彼，其谓行彼。此，此当乎此，则唯乎此，其谓行此。其以当而当也；以当而当，正也。

此节仍接上意。言若名定为彼，而所定之彼与其实际相当，适应乎彼，方可谓为行彼。名定为此，而所定之此与此之实际相当，适应乎此，方可谓为行此。凡是皆以名实相当，而成正举。归纳公孙之意：即凡百事物，不能徒托空言，必求与实际相当能行，乃有其价值；由此可窥名实化一之精神焉。末句“以当而当正也”，应为“以当而正也”。衍一“当”字，见上释。

故彼，彼止于彼；此，此止于此，可。彼此而彼且此，此彼而此且彼，不可。

谢希深曰：“彼名止于彼实，而此名止于此实，彼此名实不相滥，故曰‘可’。或以彼名滥于此实，而谓彼且与此相类。或以此名滥于彼实，而谓此且与彼相同；故皆‘不可’。”按《经下》：“彼彼此此，与彼此同。说在异。”《说》云：“彼：正名者彼此。彼此可：彼彼止于彼，此此止于此。彼此不可：彼且此也，此亦可彼，若是而彼此也，则彼亦且此此也。”依梁任公校本。与此意旨相近，可参看。

“故彼，彼止于彼”，《道藏》本“彼”下，多一“故”字。严铁桥校为衍字，盖沿上文而误。

夫名实谓也。知此之非也，知此之不在此也，明不谓也。知彼之非彼也，知彼之不在彼 也，则不谓也。

“知此之非也，知此之不在此也，明不谓也”，俞荫甫曰：“当作‘知此之非此也，知此之不在此也，则不谓也’。下文云：‘知彼之非彼也，知彼之不在彼也，则不谓也。’两文相对，可据以订正。”按：俞说是也。“谓”，训称谓，《广雅释言》“指也”。言凡百事物本原无名，经人指称，乃为某名。其由人而得之实，非实真体，亦经人指称，乃为某实。凡是名实，举由谓生。而谓之于心，经长期之训习，于名于实，举有准则。若明知此之非此，或此之不在此，则不能谓之为此。明知彼之非彼，或彼之不在彼，亦不能谓之为彼也。《经说下》：“知是之非此也，有知是之不在此也；然而谓此曰此，过，而以已为然。始也谓此南方，故今也谓此南方。”参看《墨经校释》。与此段意相发明。

“知彼之不在彼也”，陈本无此句，《道藏》诸本均有。

至矣哉，古之明王！审其名实，慎其所谓。至矣哉，古之明王！

名之与实，审而求符。谓名谓实，必慎其初。丝毫不假，勿使舛午，执之以正天下。古有明王，其道在是。连称“至矣”，推挹已极。公孙造论微恉，于本篇结穴瞻之矣。

读《公孙龙子》后录

此书成于两年之前。当时所据者，为湖北崇文书局本。年来取《道藏》及《守山阁》、三槐堂诸本对校，又获得番禺陈兰甫注本及严铁桥校《道藏》本，紬读数过，续有所见。前时所释，意多未安。又在北京得明嘉靖及梁杰、吉藩刻本数种。欲广搜此书，重加订正，另为《斠补》一书。中更世变，书籍散佚，人事播迁，素愿莫偿。曷来沪滨，少得余晷，就箧中所携各本对勘一过，率为《后录》一篇。劫灰之余，书多不备，抱残守阙，挂漏难免。凡所著录，多为各本字句异同，于旧释意见参差之处间亦附及。仓卒命笔，盖十得二三耳。前在九江，乡先辈丁鼎丞先生取阅原稿，曾指正数事，树义精卓，亦分别录入。附识于此，并抒谢忱。

十六年九月，记于沪次。

献唐王琯

图书在版编目（CIP）数据

公孙龙子研究 / 王献唐著．—北京：北京理工大学出版社，2020.5

（古典·哲学时代 / 马东峰主编）

ISBN 978-7-5682-8243-7

Ⅰ．①公… Ⅱ．①王… Ⅲ．①名家 ②《公孙龙子》-研究 Ⅳ．①B225.45

中国版本图书馆CIP数据核字(2020)第042692号

出版发行 / 北京理工大学出版社有限责任公司
社　　址 / 北京市海淀区中关村南大街5号
邮　　编 / 100081
电　　话 / (010) 68914775（总编室）
(010) 82562903（教材售后服务热线）
(010) 68948351（其他图书服务热线）
网　　址 / http://www.bitpress.com.cn
经　　销 / 全国各地新华书店
印　　刷 / 保定市中画美凯印刷有限公司
开　　本 / 787毫米×1092毫米　1/32
印　　张 / 4.5
版　　次 / 2020年5月第1版　2020年5月第1次印刷
字　　数 / 79千字
定　　价 / 28.00元

责任编辑 / 朱　喜
文案编辑 / 朱　喜
责任校对 / 顾学云
责任印制 / 王美丽